Gatz/Schäfer · Themenorientierte Gruppenarbeit mit Demenzkranken

Sabine Gatz · Lioba Schäfer

Themenorientierte Gruppenarbeit mit Demenzkranken

24 aktivierende Stundenprogramme

Beltz Verlag · Weinheim und Basel

Sabine Gatz, Jg. 1969, Diplomsozialarbeiterin (FH) und Diplompädagogin, Ausbildung in Kunsttherapie. Sie arbeitet im Allgemeinen Sozialdienst und ist verantwortlich für die Konzeption und Durchführung der Betreuung demenzkranker Menschen in einem Altenpflegeheim in Friedrichsdorf/Ts.

Lioba Schäfer, Jg. 1960, Diplomsozialpädagogin (FH). Langjährige Tätigkeit in der Einzel- und Gruppenarbeit in der gerontopsychiatrischen Abteilung des Bezirkskrankenhauses Bayreuth. Interdisziplinäre Arbeit zur Entwicklung und Erprobung verschiedener Gruppenangebote für verwirrte Menschen.

Gesetzt nach den neuen Rechtschreibregeln
Lektorat: Richard Grübling

© 2002 Beltz Verlag · Weinheim und Basel
www.beltz.de
Herstellung: Ute Jöst, Publikations-Service, Birkenau
Satz: Media Partner GmbH, Hemsbach
Druck: Druckhaus Beltz, Hemsbach
Umschlaggestaltung: Federico Luci, Köln
Umschlagfoto: Sabine Gatz
Printed in Germany

ISBN 3-407-55867-8

Inhaltsverzeichnis

Wenn nicht mehr Zahlen und Figuren
Sind Schlüssel aller Kreaturen,
Wenn die, so singen oder küssen,
Mehr als die Tiefgelehrten wissen,
Wenn sich die Welt ins freie Leben
Und in die Welt wird zurück begeben,
Wenn dann sich wieder Licht und Schatten
Zu echter Klarheit werden gatten,
Und man in Märchen und Gedichten
Erkennt die wahren Weltgeschichten,
Dann fliegt vor einem geheimen Wort
Das ganze verkehrte Wesen fort.

Novalis

Vorwort

Die hier vorgestellte Gruppenarbeit beruht auf einem Konzept, das von Mitarbeiterinnen der gerontopsychiatrischen Abteilung des Bezirkskrankenhauses Bayreuth entwickelt und in der Praxis erprobt wurde. Es wurde ebenfalls im Heimbereich, nämlich innerhalb des Betreuungsangebots für an Demenz erkrankte BewohnerInnen in einem Alten- und Pflegeheim in Friedrichsdorf/Taunus, eingesetzt, teilweise ergänzt und überarbeitet. Die beidseitigen Erfahrungen fließen in diesem Buch zusammen.

Dieses Buch will vor allem eines sein: Ein Buch für die Praxis. Wir verzichten deshalb auf einen ausführlichen Theorieteil, zumal mittlerweile genügend gute Bücher über das Krankheitsbild der Demenz informieren. Einige von ihnen finden Sie im beigefügten Literaturverzeichnis.

Wir möchten in erster Linie allen Personen, die an Demenz erkrankte ältere Menschen betreuen, Anregungen für Gruppenstunden liefern, in denen die Ressourcen der einzelnen TeilnehmerInnen zutage treten und somit gefördert und möglichst lange erhalten werden können.

Darüber hinaus möchten wir Sie dazu ermutigen, mit unserem Programm zu experimentieren, es eventuell um Themen zu erweitern, es in abgewandelter Form einzusetzen für allgemein gesellige Angebote in der Altenarbeit und eigene Erfahrungen einzubringen und neue hinzu zu gewinnen. Jede Gruppe ist verschieden, jede Leiterin und jeder Leiter hat andere Vorlieben, Stärken und Schwächen und nicht zuletzt ein unterschiedlich begrenztes Zeitbudget.

Wir möchten an dieser Stelle allen GruppenleiterInnen und TeilnehmerInnen mit unserem Programm abwechslungsreiche und vergnügliche Stunden wünschen.

Sabine Gatz, Lioba Schäfer

1. Themenorientierter Ansatz

1.1 Was bedeutet »Themenorientiertes Arbeiten«?

Der Begriff »Themenorientierte Gruppenarbeit« bezieht sich vor allem auf Überlegungen zur Planung des Stundenablaufs. Durch Auswahl eines bestimmten Leitmotivs – eines Themas – für die jeweilige Stunde (zum Beispiel »Tiere«) soll versucht werden, die Vielfalt möglicher Aktivitäten zu kanalisieren und sie in einen sinnvollen Zusammenhang zu stellen. Ziel ist es, durch die Kombination von körperlichen, kognitiven, emotionalen, sinnlichen und spielerischen Elementen die TeilnehmerInnen über möglichst viele Kanäle anzusprechen.

Erfahrungsgemäß kann die Aufmerksamkeit und Freude am Tun von den TeilnehmerInnen auf diese Art und Weise am ehesten erreicht und erhalten werden. Diese Vorgehensweise ermöglicht auch denjenigen mit fortgeschrittenem Krankheitsstatus bei der einen oder anderen Sequenz mitzumachen und sich einzubringen.

Von daher ist die Auswahl des Themas von entscheidender Bedeutung. Wir haben uns für Themen entschieden bei denen wir sicher gehen können, auf ein breites Erinnerungs- und Erfahrungswissen der TeilnehmerInnen zu stoßen. Es geht hierbei um allgemein menschliche Erfahrungen, die zum Teil bis in die Kindheit zurückreichen und Wissen, dass sich aus Alltagssituationen ergibt, welche sich ein ganzes Leben lang wiederholen.

Wir haben das Thema »Weihnachten«, das klassisch zu der Gruppe der saisonbedingten Themen gehört, in diesem Buch unberücksichtigt gelassen, da erfahrungsgemäß bereits jede in der Altenarbeit tätige Institution über eine Fülle an Materialien zu diesem Thema verfügt.

Ein weiterer therapeutischer Schwerpunkt liegt auf der Aktivierung der Erlebnisfähigkeit, verbunden mit der Möglichkeit eigene Gefühle zuzulassen und auszudrücken. Indem den TeilnehmerInnen in der Gruppe neue Handlungsmöglichkeiten aufgezeigt werden, erfahren sie schließlich konkret eine Ablenkung von subjektiven Kränkungen und Konflikten, die durch die Erfahrung des »Nicht mehr Könnens« und des veränderten Realitätsbezugs bedingt sind.

Schließlich kann durch das Erzählen noch erinnerter biografischer Inhalte die bei fortgeschrittener Erkrankung brüchig gewordenen Ich-Identität gestärkt werden.

1.2 Anknüpfen an Fähigkeiten und Bedürfnissen

Die Form der Gruppenarbeit, die wir Ihnen in diesem Buch vorstellen möchten, ist aus einem ganzheitlichen, am Kranken orientierten Denken entstanden. Der Mensch hat als Einheit von Körper, Geist und Seele Fähigkeiten und Bedürfnisse auf allen Ebenen seines Daseins. Niemand kann kognitive und emotionale Dimensionen des Menschen trennen. Wir können jedoch in verschiedenen Therapieangeboten den Akzent der Arbeit mehr oder weniger auf der einen oder anderen Seite setzen.

Wir orientieren uns im hier vorgestellten Gruppenangebot weniger an den kognitiven Einschränkungen der TeilnehmerInnen (defizitärer Ansatz), sondern an ihren Fähigkeiten und Bedürfnissen. So werden die Ziele der Arbeit folglich nicht aus dem Krankheitsbild des Einzelnen, sondern aus seinen Möglichkeiten und Wünschen heraus formuliert.

Auch wenn die kognitiven Fähigkeiten verglichen mit gesunden Menschen stark herabgesetzt sein können, haben an Demenz erkrankte Menschen nach wie vor emotionale Bedürfnisse. So spielt vor allem der Wunsch nach Sicherheit, aber auch nach Liebe, Wertschätzung, Zugehörigkeit und Selbstverwirklichung eine zentrale Rolle im Erleben und Verhalten der Betroffenen. Dies um so mehr, da ihnen biografisch verankerte und daher erprobte Verhaltensweisen immer weniger zur Verfügung stehen. So sind sie oft nicht mehr in der Lage, ihre Bedürfnisse zu äußern und aus eigener Kraft einen Weg zu deren Befriedigung zu finden. Diese Bedürfnisse zu befriedigen ist darum ein wesentliches Ziel der Gruppenarbeit mit Demenzkranken.

Daneben orientiert sich unser therapeutischer Ansatz an den verbliebenen Fähigkeiten der Betroffenen.

Erfahrungsgemäß liegen die Potenziale vor allem im Erfahrungswissen, welches einen Bestandteil des Langzeitgedächtnisses bildet. Das Langzeitgedächtnis ist erst im fortgeschrittenen Stadium der Demenz einem Abbauprozess unterworfen. Für die Arbeit mit Demenzkranken ist dabei zu berücksichtigen, dass die ältesten Erinnerungen am längsten bewahrt bleiben.

Ein nicht unerheblicher Teil der Kranken verfügt auch über ein Spezialwissen, wie zum Beispiel musische Fähigkeiten, die von unserer Seite so gut es geht aufgegriffen werden.

Fähigkeiten, die erst einmal verloren gegangen sind, können nicht wieder erworben werden!

Das intuitive Reagieren, das heißt das unmittelbare Gewahrwerden von Situationen und Menschen sowie der intuitive Umgang mit eigenen Bedürfnissen sind weitere wichtige Fähigkeiten, an die es anzuknüpfen gilt. So sind die Betroffenen auch im Endstadium ihrer Erkrankung noch sehr sensibel für atmosphärische Stimmungen oder Gefühle, die zum Beispiel während einer Gruppenstunde durch die Sprechweise, den Tonfall, den Blick und den Körperkontakt der BetreuerInnen übermittelt werden.

Auch wenn die kognitive und körperliche Leistungsfähigkeit nachlässt, bleibt weiterhin der Wunsch nach Anerkennung dessen, was noch an Fähigkeiten und Fertigkeiten besteht. Dabei ist es wichtig, dass die jeweilige Beschäftigung als sinnvoll erlebt wird. Hausarbeiten wie Handtücher zusammenlegen oder Geschirr spülen und Geschirr abtrocknen sind zum Beispiel solche Tätigkeiten, die von demenzkranken Frauen gerne und oftmals mit Stolz ausgeführt werden.

1.3 Voraussetzungen für das Gelingen einer Gruppenstunde

Auswahl und Motivation der TeilnehmerInnen

Mit unserem themenorientierten Ansatz möchten wir Demenzkranke anregen ohne aufzuregen! Wir haben die Erfahrung gemacht, dass Personen, bei denen die Krankheit schon recht weit vorangeschritten ist, durchaus bei unserem Programm mitmachen können. Oftmals schafft die Gruppensituation eine Atmosphäre der Geborgenheit, in der auch ansonsten unruhige Kranke eine Stunde mit Interesse das Geschehen verfolgen und sich einbringen können. Auch Betroffene mit verstärkten Wortfindungsstörungen sind in der Lage, an der Gruppe teilzunehmen, was jedoch ein besonderes Gespür von den GruppenleiterInnen erfordert. Im Zweifelsfall lohnt es sich auszuprobieren, inwieweit eine Person in die Gruppe integriert werden kann. Manchmal kommen gerade in der Gruppensituation Fähigkeiten zutage, die zuvor nie entdeckt wurden.

Es ist wichtig, dass die LeiterInnen informiert sind über etwaige Krankheiten oder Behinderungen der TeilnehmerInnen, auf die besondere Rücksicht genommen werden muss. Schwerhörige sollten neben der/dem LeiterIn Platz nehmen.

Sind die TeilnehmerInnen erst einmal in der Gruppe angekommen, genießen die meisten von ihnen das themenorientierte Arbeiten und wollen nur ungern die Gruppe wieder verlassen. Zuvor jedoch ist von den LeiterInnen eine nicht immer leichte Motivationsarbeit gefordert. Gerade in Pflegeeinrichtungen der Altenpflege und im stationären-klinischen Bereich ist die Sammelphase der GruppenteilnehmerInnen vor Beginn der eigentlichen Stunde ein entscheidender Punkt, für den Zeit berücksichtigt werden muss.

Wichtig ist es, beim Einladen zur Gruppenaktivität den TeilnehmerInnen einfach und klar zu erklären, was geplant ist, und so Ängste zu vermeiden, zum Beispiel: »Wir möchten Sie einladen, zu unserer Gruppe mitzukommen, sich mit uns zusammenzusetzen, zu plaudern und zu singen, ...«. Sorgen und Fragen der TeilnehmerInnen sind ernst zu nehmen und es ist wichtig, auf sie einzugehen (wie zum Beispiel Brille suchen, auf Toilette gehen), damit sich die TeilnehmerInnen auf das Angebot einlassen können. Hilfreich ist es, das Gesagte durch Mimik und Gestik zu unterstreichen, um die Aussage zu verdeutlichen. So kann eine ausgestreckte Hand die Einladung zur Gruppenstunde sinnvoll ergänzen.

Räumlichkeiten, Gruppengröße und Betreuungsschlüssel

Ein gemütlich eingerichteter Raum mit Wohnzimmercharakter und angenehmen Lichtverhältnissen bietet die besten Voraussetzungen für das Gelingen der Gruppenstunde. Wir wissen jedoch auch, dass nicht jeder Einrichtung solche Idealvoraussetzungen zur Verfügung stehen.

Der Raum, der für die Gruppenstunde vorgesehen ist, sollte auf jeden Fall so groß sein, dass ein Kreis gebildet werden kann. Die Gruppe kann auch um einen Tisch herum sitzen. Die zuletzt genannte Variante reduziert zwar das Gefühl, sich in einer künstlichen Situation zu befinden, kann unter Umständen jedoch die Ausführung des Bewegungsteils erschweren.

Falls Ihre Einrichtung über einen Garten oder eine Terrasse verfügt, sollten Sie bei schönem Wetter mit Ihrer Gruppe ins Freie gehen um die Wärme der Sonne zu genießen und die Gerüche und Geräusche wahrnehmen zu können.

Vermeiden Sie jedoch unter allen Umständen – unabhängig davon, welche Räumlichkeiten Sie nutzen – dass der Eindruck entsteht, bei Ihren GruppenteilnehmerInnen handelt es sich um einen Personenkreis, der abgesondert werden muss! Im Gegenteil: Vermeiden Sie eine Stigmatisierung indem Sie neugierige NichtteilnehmerInnen mit einbeziehen. Auch Angehörige und andere BesucherInnen dürfen sich dazu setzen – wenn genügend Platz vorhanden ist.

Die Gruppe als solche sollte höchstens aus 12 TeilnehmerInnen bestehen. Handelt es sich um TeilnehmerInnen mit großem Hilfebedarf, sollten 10, unter Umständen auch nur 8 Personen die Obergrenze sein.

Mit zwei Betreuungskräften kann die Gruppenstunde optimal durchgeführt werden und es muss zu keiner Unterbrechung des Gruppengeschehens kommen, wenn zum Beispiel ein Teilnehmer zur Toilette begleitet werden muss.

Bei zwei Betreuungskräften kann sich ein/-e BetreuerIn auf den Ablauf der Stunde konzentrieren, während die/der andere eher im Hintergrund agiert und zum Beispiel versucht, Irritationen im Vorfeld abzufangen und schwächeren Gruppenmitgliedern Hilfestellungen leistet.

Dauer und Regelmäßigkeit

Jedes von uns vorgeschlagene Thema beinhaltet so viele Elemente, dass mühelos eine Stunde gefüllt werden kann. Wir sprechen deshalb auch immer von einer Gruppen*stunde*. Sie können aber auch nur eine halbe Stunde themenorientiert arbeiten. Damit Sie diese Freiheiten besitzen, haben wir die Stunden nach einem Baukasten-Prinzip aufgebaut: Zu jedem Thema schlagen wir Ihnen verschiedene Bausteine vor und wenn Sie keine ganze Stunde für die Gruppenarbeit veranschlagen können, lassen Sie den einen oder anderen Baustein einfach weg.

Ausführlicher informiert das Kapitel 1.4 »Unser Programm« über die Möglichkeiten der Durchführung einer Gruppenstunde.

Sie sollten auf jeden Fall versuchen, die Gestaltung der Stunde nach dem Befinden des Einzelnen, nach der Belastbarkeit, Konzentration, Aufmerksamkeit und der Dynamik in der Gruppe auszurichten. Der vorgeschlagene Stundenverlauf soll nicht zur Fessel werden.

Wir möchten Ihnen mit unserem themenorientierten Gruppenprogramm Anregungen für vergnügliche Gruppenstunden vermitteln und damit ein Zeichen gegen Eintönigkeit und Erlebnisarmut setzen.

Es sind spezielle Einrichtungen, Wohngruppen und integrative Betreuungsformen für Demenzkranke entstanden, die wir mit unserem Programm bereichern wollen. Gerade für stationäre Einrichtungen gilt: Je regelmäßiger Sie das Gruppenangebot durchführen können, desto eher werden der Rhythmus und die sich wiederholenden Anfangs- und Schlussrituale erkannt.

So ist es sinnvoller, das Gruppenprogramm jeden Tag nur eine halbe Stunde durchzuführen als jeden zweiten Tag eine Stunde lang. Vielleicht können Sie es in ein schon bestehendes Betreuungsprogramm integrieren oder anschließend an das Frühstück oder einer nachmittäglichen Kaffeerunde durchführen.

Im klinischen Bereich wird es aus strukturellen Gründen wahrscheinlich nur ein- bis zweimal in der Woche möglich sein, das themenorientierte Angebot – mit häufig wechselnden TeilnehmerInnen – durchzuführen. Hier liegen die Schwerpunkte der Betreuung in der Aktivierung und Stimulierung der TeilnehmerInnen sowie beim Entdecken, Erhalten und Fördern von Fähigkeiten.

Auch Tagesstätten und alle weiteren ambulanten Angebote für an Demenz erkrankte Menschen möchten wir mit unserem Programm in ihrer Betreuungsarbeit unterstützen und somit indirekt zur Entlastung pflegender Angehöriger beitragen.

Umgang mit Demenzkranken

Am wichtigsten im Umgang mit Demenzkranken erscheint uns die wertschätzende und akzeptierende Haltung ihnen gegenüber. Dazu gehört, dass Sorgen und Ängste – auch wenn sie von außen als völlig unbegründet erscheinen – ernst genommen werden, denn sie werden von dem Kranken real gefühlt!

Ebenfalls ist es wichtig, den Demenzkranken da abzuholen, wo er sich gerade in Gedanken befindet und die schönen aber auch schmerzhaften Erinnerungen mit ihm zu teilen.

Im Sinne der Validation nach Naomi Feil ist danach zu fragen, welche Gefühle sich hinter dem Gesagten verborgen halten und es ist gemeinsam ein Weg zu suchen, diese auszudrücken. Gefühle sind immer berechtigt und gehören weder korrigiert noch beschimpft.

Zwar tritt bei Demenzkranken das logische Denken in den Hintergrund, dafür wird jedoch die emotionale Ebene immer wichtiger. Manche Betroffene können nicht mehr die Worte verstehen, die man zu ihnen spricht, merken aber sehr genau, welche Gefühle man ihnen entgegenbringt. So können Gereiztheit und Ungeduld eines Gruppenleiters oder einer Gruppenleiterin sich schnell auf die TeilnehmerInnen übertragen.

Im Kontakt ist es generell wichtig, sich an das langsamere Tempo der TeilnehmerInnen anzugleichen, d.h. langsam und deutlich zu sprechen, Nicht-Verstandenes zu wiederholen, Blickkontakt und genügend Zeit für Antworten und Reaktionen zu lassen. Nur dadurch ist gewährleistet, dass ein Vertrauensverhältnis entsteht.

1.4 Unser Programm

Aufbau einer Gruppenstunde

Jede Gruppenstunde lässt sich gliedern in eine Einstiegsphase, einen Hauptteil und einer Abschlussphase. Einstiegs- und Abschlussphase verlaufen für jedes Thema nach dem gleichen Schema, während der Hauptteil einer Stunde variable Bausteine besitzt.

Aufbau einer Gruppenstunde

Festes Ritual
Einstiegsphase
- Begrüßung,
- Durchreichen des Gegenstandes.

Variable Bausteine
Hauptteil
- Biografisches Arbeiten,
- Assoziationen,
- Ratespiele,
- Texte hören,
- Sinneswahrnehmungen,
- Bewegungsübungen,
- Singen,
- Musik hören.

Festes Ritual
Abschlussphase
- Singen des Schlussliedes,
- Verabschieden.

Einstiegsphase

Während dieser Phase findet die gegenseitige Begrüßung und eine erste Annäherung an das Thema statt. Wichtig dabei ist, dass der Einstieg in die Stunde immer in ein festes *Ritual* eingebettet ist.

Menschen mögen Rituale nicht nur, sie brauchen sie auch. Gerade Menschen mit kognitiven Einbußen können durch immer wiederkehrende Handlungen Sicherheit und Geborgenheit erfahren und Gemeinschaft erleben. Sie verstehen den Ablauf besser und können Ängste abbauen. So ist zum Beispiel das Händeschütteln während der Begrüßung zwar nur ein kleines Ritual doch insgesamt eine nicht zu unterschätzende Geste, ebenso wie das »Guten Tag« oder »Grüß Gott« – sagen, und das Ansprechen der TeilnehmerInnen mit ihren Namen.

Vielleicht haben Sie Lust, das Begrüßungsritual musikalisch zu untermalen. Es kann auf diese Art und Weise noch besser wiedererkannt werden. Im Bezirkskrankenhaus Bayreuth wird zu Beginn des Gruppenangebotes das folgende kurze Lied gesungen:

> Grüß Gott in dieser Runde
> Guten Tag und gute Stunde
> und ein fröhliches Gelingen
> vor allen Dingen

Sie können natürlich auch ein anderes Lied als Begrüßungsmelodie auswählen. Ein Lied zur Begrüßung eignet sich hervorragend, um alle TeilnehmerInnen in das Gruppengeschehen zu integrieren.

Außerdem möchten wir Sie ermuntern, in der Einstiegsphase diverse *Gegenstände* zum Einsatz kommen zu lassen, die uns als besonders gelungener Einstieg in das jeweilige Thema erscheinen. Ein Gegenstand (manchmal auch mehrere) wird zu Anfang in der Gruppe herumgereicht und soll für das jeweilige Thema in besonderer Weise charakteristisch sein. Er soll es »begreifbar« machen.

Am besten ist es, wenn die GruppenteilnehmerInnen untereinander den Gegenstand weiterreichen und schon dabei miteinander ein paar Worte wechseln können. Die Phase des Durchreichens kann dazu genutzt werden, dass jede/jeder GruppenteilnehmerIn ihren/seinen Namen nennt und sich so den anderen Gruppenmitgliedern und Mitgliederinnen vorstellt. Als LeiterIn können Sie Hilfestellungen geben, indem Sie Fragen stellen, die TeilnehmerInnen direkt ansprechen und an das Weitergeben des Gegenstandes erinnern. Am Ende der Einstiegsphase ist der Gegenstand in jedem Fall noch einmal zu benennen und für alle sichtbar zu zeigen.

Diese Art des Einstiegs in das Thema spricht die Sinne an und weckt die Aufmerksamkeit der TeilnehmerInnen für den weiteren Verlauf der Stunde.

Abschlussphase

Bevor wir Ihnen den Hauptteil einer Stunde vorstellen, möchten wir kurz die Schlussphase beschreiben.

Der *Abschluss* beinhaltet ebenso wie der Einstieg in das Thema ein festes *Ritual*: Analog zur Begrüßung schlagen wir zum Schluss vor, die Stunde mit immer dem gleichen Lied zu beenden. Für geeignet halten wir die Lieder »Wann und wo, wann und wo, sehen wir uns wieder und sind froh« oder »Die Vogelhochzeit«, wo jene Strophen ausgewählt werden sollten, die bei den TeilnehmerInnen gut bekannt sind. (Eine Auswahl an Strophen finden Sie unter dem Thema »Hochzeit«). Ein gemeinsamer Händedruck kann die Stunde beschließen.

Hauptteil

Kommen wir nun von den festen Bestandteilen einer Gruppenstunde zu den variablen Bausteinen: Im Gegensatz zum Einstieg und zum Abschluss einer Stunde ist der *Hauptteil* wie ein Baukasten zusammengesetzt, aus dem Sie sich bedienen können. Die verschiedenen, *variablen Bausteine* – zu diesen zählen wir: *Biografiearbeit, Assoziationen zum Thema, Ratespiele, Lieder, Musikstücke, Texte, Wahrnehmungs- und Bewegungsübungen* – können hin- und hergeschoben werden und Sie dürfen auch ruhig Teile weglassen, weil sie zu schwierig für Ihre Gruppe sind oder weil die Zeit schon zu weit vorangeschritten ist.

Zwar bieten wir Ihnen mit der Anordnung und Überleitung der einzelnen Bausteine eine logische Reihenfolge an und versuchen, einem abwechslungsreichen Programm Rechnung zu tragen, es obliegt jedoch Ihnen zu entscheiden, welche Bausteine Sie benutzen oder weglassen wollen. Eine Gruppenstunde soll nicht langweilen, Sie sollten als LeiterIn jedoch auch darauf achten, dass Sie Ihre TeilnehmerInnen nicht überfordern. Es darf kein Leistungsdruck entstehen!

Spontane Reaktionen der GruppenteilnehmerInnen genießen in jedem Fall Priorität! So kann ein/eine TeilnehmerIn plötzlich anfangen zu singen oder einen Vers aufzusagen, weil bei ihr/ihm Erinnerungen wachgerufen werden. Das ist für sie/ihn ein glücklicher Moment, der nicht übergangen werden sollte! Ihre Aufgabe als LeiterIn ist es dann, darauf einzugehen, sich mitzufreuen, Gefühle zu spiegeln und auch die anderen GruppenmitgliederInnen in das Gespräch mit einzubeziehen.

> Das Ziel der Stunde muss sein, möglichst viel Wohlgefühl für den Augenblick zu vermitteln! Die verschiedenen Bausteine zu jedem Thema sollen dazu beitragen helfen. Ziel der Stunde ist vor allem die Stunde selbst.

Im Folgenden wollen wir auf die einzelnen Bausteine des Hauptteils näher eingehen:

- **Biografiearbeit**

  Biografiearbeit ist ein wichtiger Bestandteil in der Betreuung von Demenzkranken. So bieten sich auch für die Arbeit mit Gruppen Themen an, von denen man annehmen darf, dass sie in der Lebensgeschichte des Einzelnen von Bedeutung waren. Grundsätzlich ist es von Vorteil, wenn Sie als LeiterIn über die Biografie der TeilnehmerInnen gut Bescheid wissen. So können Sie das Gespräch dort vertiefen, wo Sie Erfahrungswissen und Erinnerungen der GruppenteilnehmerInnen erwarten können.

  Der früher ausgeübte Beruf gehört meistens zu einer identitätsprägenden Erfahrung, die auch bei einer demenziellen Erkrankung noch eine wichtige Rolle für die Betroffenen spielt. Aber auch ein intensiv betriebenes Hobby, das Spielen eines Musikinstruments, Kriegs- oder/und Fluchterfahrungen sowie Kindheits- und Jugenderlebnisse sind zu berücksichtigen.

  Die Fragen zur Biografie werden direkt an die einzelnen TeilnehmerInnen gerichtet. Sie können als LeiterIn beim Erinnern auch nachhelfen. Wenn Sie zum Beispiel wissen, dass eine TeilnehmerIn eine gute Klavierspielerin war, wird sie sich darüber freuen, wenn Sie es der Gruppe mitteilen und sie die Anerkennung spürt.

  Viele Einrichtungen benutzen mittlerweile sogenannte Biografiebögen, um wichtige lebensgeschichtliche Daten der Person zu erfassen und sie für die Pflege- und Betreuungsplanung nutzen zu können. Bei demenzkranken Personen sind die Angehörigen die wichtigsten Informanten. Wir haben im Anhang dieses Buches einige wichtige Fragen die Biografie betreffend zusammengestellt.

- **Assoziationen**

  Menschen mit Demenz können neue Informationen für nur sehr kurze Zeit behalten, je nach Krankheitsstadium nur für wenige Sekunden. Wir versuchen deshalb an die Inhalte des Langzeitgedächtnisses anzuknüpfen durch das Assoziieren zum Thema. Assoziieren bedeutet, ich gebe einen »Schlüsselbegriff« vor, mit dem die GruppenteilnehmerInnen weitere Begriffe, Erlebnisse, Lieder, Sprichwörter und dergleichen, verbinden. So fordert zum Beispiel die Frage: »Was nimmt man zu einer Wanderung mit?« die TeilnehmerInnen dazu auf, Assoziationen, Verbindungen zu dem Wort »Wanderung« herzustellen. Diese Art des Fragens regt die Gedächtnisleistung des Langzeitgedächtnisses an, erfordert aber auch eine relativ große Leistung, zu der nicht mehr alle Demenzkranken in der Lage sind. So ist es von

Ihrer Gruppe abhängig, vom Stadium der Demenz ihrer TeilnehmerInnen, welche Assoziationen möglich sind.

Auf alle Fälle sollten Sie die Fragen in die offene Runde stellen. Dann kann jede Person nach Belieben und Können eine Antwort nennen, wird jedoch nicht durch direktes Ansprechen zu einer Reaktion gedrängt.

In der Einstiegsphase regt das Durchreichen des Gegenstandes zum Assoziieren an.

● **Sprichwörter, Redewendungen, Ratespiele (Automatismen)**

Im Gedächtnis existieren relativ fest verankerte Wort- und Bewegungsfolgen, die ohne darüber nachdenken zu müssen, abgerufen und ausgeführt werden können. Zu diesen Automatismen gehören Sprichwörter, Redewendungen, Sprüche und dergleichen. Der/die GruppenleiterIn nennt den Anfang eines Sprichwortes, einer Redewendung, etc. und lässt den Text von der Gruppe vervollständigen. Wir schlagen Ihnen auch einige Ratespiele dazu vor. So wird zum Beispiel in einer spielerischen Übung, die wir »Liederraten« genannt haben, der/die GruppenleiterIn dazu aufgefordert, verschiedene Liedanfänge von bekannten Volksliedern zu nennen oder zu summen. Die GruppenteilnehmerInnen haben die Aufgabe, den Liedertext weiterzusagen.

Diese Übungen sind wesentlich einfacher als das freie Assoziieren bei unserem Beispiel mit der »Wanderung« im Absatz vorher. Man muss gar nicht weiter darüber nachdenken, um die richtigen Worte zu finden. Viele GruppenteilnehmerInnen werden sich einbringen können und erfahren somit ein Erfolgserlebnis.

Wir haben versucht, für möglichst viele Themen Sprichwörter und Redewendungen zu finden und im Hauptteil zu verwenden.

● **Lieder**

In der Lebensgeschichte der heute über 70-Jährigen spielt das Singen von Volksliedern eine große Rolle. So wurde in der Schule viel gesungen sowohl im Unterricht als auch auf Ausflügen. Viele von ihnen waren aktives Mitglied in einem Gesangverein.

Auch die TeilnehmerInnen Ihrer Gruppe werden vornehmlich zu dieser Altersgruppe gehören und die meisten von ihnen werden sich darüber freuen, wenn ein altbekanntes Lied angestimmt wird.

Zu jeder Stunde ist meistens nur ein Lied zum Singen angeführt. Es ist jedoch durchaus zu befürworten, mehrere Lieder in jedes Thema einzubringen, weil das Singen erfahrungsgemäß auf eine große Resonanz stößt und die TeilnehmerInnen aufmerksam sein lässt. Singen fördert eine aktive Teilnahme am Gruppengeschehen und vermittelt gleichfalls das Erleben von Gemeinschaft. Wir geben eine ausreichende Wahlmöglichkeit von Liedern zu jedem Thema an. Natürlich müssen Sie als LeiterIn auch selbst Freude am Singen haben, sonst wirkt es nur unecht und eine gute Stimmung kann sich nicht einstellen.

● **Texte**

Wir haben vornehmlich Texte ausgewählt, bei denen es sich um altbekannte Gedichte und Sprüche handelt, die aus Kindertagen vertraut sein dürften und von einigen GruppenteilnehmerInnen in der Schule auswendig gelernt wurden und vielleicht erinnert, aufgesagt oder mitgesprochen werden können. Lesen Sie insbesondere die Texte neueren Datums langsam und betont. Suchen Sie beim Vortragen den Augenkontakt. Sie können ein Gedicht ohne weiteres auch ein zweites Mal lesen. Manchmal schlagen wir auch Auszüge aus einem Gedicht vor.

● **Sinneswahrnehmungen**

Zu fast allen Themen bietet es sich an, bewusst Sinneserfahrungen hervorzurufen. Schon das Durchreichen des Anschauungsgegenstandes beim Einstieg in das Thema spricht mehrere Sinne an (Fühlen, Sehen, manchmal auch Riechen). So schlagen wir Ihnen beispielsweise für das Thema »Frühling« vor, die GruppenteilnehmerInnen an einer Frühlingsblume und/oder an Veilchenwasser riechen zu lassen.

● **MC/CD**

Wir möchten Ihnen populäre Schlager- und Operettenmelodien, manchmal auch klassische Musikstücke vorstellen, die gemeinsam in der Gruppe angehört werden können oder als Begleitung zu einer Bewegungseinheit dienen. Wir möchten Sie jedoch nicht davon abhalten, in Ihre eigene »Schatzkiste« zu greifen und eine dort vorrätige, ebenfalls geeignete Musik auszuwählen.

Es hängt von der Ruhe bzw. Unruhe der Gruppe ab, ob Sie die Lieder zum Zuhören in voller Länge vor- oder nur anspielen sollten. Es kann sich anbieten, zum Schluss einer Stunde die Musik anzuhören und somit langsam die Stunde ausklingen zu lassen.

Das gemeinsame Musik hören kann dadurch erschwert werden, dass das eine oder andere Gruppenmitglied nur über ein eingeschränktes Hörvermögen verfügt. Ist bei einigen TeilnehmerInnen das Hörvermögen beeinträchtigt, ist das aktive Singen dem passiven Zuhören vorzuziehen.

● **Bewegung**

In der Gruppe Ball zu spielen, sich zu bewegen nach Rhythmus und Musik, eventuell mit Hilfe von

Rhythmusinstrumenten, miteinander in Beziehung zu treten, macht erfahrungsgemäß den GruppenteilnehmerInnen Spaß und sorgt nicht nur für Interaktion sondern auch für eine fröhliche und entspannte Atmosphäre. Die einfache Alternative zu einer vorgeschlagenen Bewegungsübung ist das Zuwerfen oder das Zurollen einer leichten (Stoff-)Balles. Nicht zuletzt ist Bewegung auch aus medizinischen Gründen wichtig.

Wir sehen den Bewegungsteil als einen Höhepunkt der Gruppenstunde an, bei dem viel passiert und alle TeilnehmerInnen aktiv mit einbezogen werden können. Wir schlagen vor, ihn wenn möglich gegen Ende der Stunde durchzuführen. Zu jedem Bewegungsteil finden Sie eine Ausführungsanleitung.

● **Sonstiges**

Wenn es Ihre Zeit erlaubt und auch sonst nichts dagegen spricht, können Sie Ihren GruppenteilnehmerInnen zu manchen Themen auch eine Kleinigkeit zum Naschen mitbringen. Zum Thema »Karneval« eignen sich zum Beispiel die Faschingskrapfen hervorragend. Berücksichtigen Sie dabei die eventuellen DiabetikerInnen in ihrer Gruppe.

Das gemeinsame Essen ist eine sinnliche Erfahrung, die ebenfalls als kleiner Höhepunkt eher an das Ende einer Stunde passt.

Vorbereitung: Materialien und Stundenübersicht

● **Materialien**

Nachdem wir Sie über den Umgang mit unserem Programm informiert haben, möchten wir Ihnen noch einige Hinweise zur Vorbereitung eines Themas geben.

Wir haben versucht, Ihnen die Vorbereitung für eine Themeneinheit so einfach und knapp wie möglich zu gestalten. Deswegen finden Sie zu Beginn eines jeden Themas eine *Materialien*liste und eine *Stundenübersicht*.

Die Materialienliste ist eine Zusammenstellung von jenen Liedern, Gegenständen, Musikstücken und sonstigen Utensilien, die Sie für die jeweilige Gruppenstunde besorgen sollten.

Sinn der Sache ist es nicht, Ihnen zusätzliche Arbeit zu bereiten, sondern Ihnen zu helfen, durch gezielte Materialvorschläge eine Auswahl zu treffen und Sie auf Medien aufmerksam zu machen, die in besonderer Weise das betreffende Stundenthema aufgreifen.

So schlagen wir Ihnen *Gegenstände* für den *Einstieg* ins Thema vor, die wir für besonders geeignet halten. Wir haben uns bei der Auswahl um solche be-

müht, die leicht zu beschaffen sind. Sie können selbstverständlich auch andere typische Gegenstände verwenden. Wichtig ist, dass Sie Dinge auswählen, die aufgrund ihres eindeutigen Alltagsbezugs den meisten TeilnehmerInnen vertraut sind und Erinnerungen wachrufen.

Ferner haben wir eine Auswahl an *Liedern* zum gemeinsamen Singen zusammengestellt, die zum Thema passen und erfahrungsgemäß den TeilnehmerInnen bekannt sind. Sie sind in fast jeder Volksliedersammlung zu finden. Die Lieder, welche in Klammern stehen, können als Alternative oder auch zusätzlich gesungen werden, je nachdem wie singfreudig die Gruppe ist.

Es kommt auf die GruppenmitgliederInnen und das Stadium ihrer Erkrankung an, ob die Liedertexte im Großdruck an alle ausgeteilt werden sollten oder besser darauf verzichtet wird, weil es eine Überforderung darstellt und nur vom Singen abhalten würde.

Wichtiger als nach dem richtigen Text zu schauen ist es Freude an der Musik zu haben. Da kann es durchaus genügen, nur den Refrain mitsingen, die Melodie summen oder/und dazu schunkeln zu können.

Zu jedem Thema finden sich bekannte alte Schlager, und/oder Operettenmelodien die sich auf *MC oder CD* besorgen lassen und mannigfaltige Erinnerungen wecken. Wir schlagen Ihnen daher für fast jedes Thema ein bekanntes Musikstück vor, das sich zum Zuhören eignet, mitgesummt oder mitgesungen werden kann oder auch für den Bewegungsteil Verwendung findet. Manchmal wählen wir auch ein klassisches Stück aus.

Volkslieder werden erfahrungsgemäß von den meisten TeilnehmerInnen lieber selbst gesungen, können aber ebenfalls eingesetzt werden.

Unter *Sonstiges* fallen weitere Materialien, die Sie für einen Bewegungsteil, ein Spiel etc. während der Stunde benötigen.

Materialien, wie ein großes Stofftuch oder kleine bunte Tücher, lassen sich eventuell in Ihrer Einrichtung herstellen, wenn Sie zum Beispiel über einen Therapiebereich Ergotherapie verfügen. Buchstabenkarten können ohne großen Aufwand schnell selbst hergestellt und immer wieder verwendet werden. Möchten Sie lieber einen Buchstabenwürfel benutzen, so können Sie einen Blanko-Würfel zum Selbstbeschriften in Läden für Bastelbedarf erstehen.

Es ist ratsam, sich eine Kiste mit Gegenständen anzulegen, auf die immer wieder zurückgegriffen werden kann – nicht zuletzt auch für andere Gruppenaktivitäten (zum Beispiel für Kim-Spiele).

● **Stundenübersicht**

Damit Sie sich auf einen Blick über die von uns vorgesehenen Stundenbausteine (= Spiele, Lieder, Texte, etc.) und deren mögliche Reihenfolge für das jeweilige Thema informieren können, bieten wir Ihnen eine Stundenübersicht zu Beginn jedes neuen Themas an.

An früherer Stelle haben wir Sie schon darauf aufmerksam gemacht, dass der Hauptteil einer jeden Gruppenstunde wie ein Baukasten zusammengesetzt ist. Die einzelnen Bausteine daraus können hin- und hergeschoben werden und sie dürfen auch ruhig Teile weglassen. Sie sind als Anregungen für eine abwechslungsreiche Gestaltung einer Themeneinheit zu betrachten. Eine Gruppenstunde soll nicht langweilen, Sie sollten als LeiterIn jedoch auch darauf achten, dass Sie Ihre TeilnehmerInnen nicht überfordern.

In der Stundenübersicht wollen wir Sie ebenfalls vorab informieren über die von uns ausgewählten Texte (Gedichte, Sprüche und kurze Geschichten). Manchmal schlagen wir Ihnen mehrere Texte vor, von denen Sie sich einen auswählen oder bei kürzeren Gedichten auch zwei in der Stunde verwenden können.

Unsere ausgesuchten Texte greifen das jeweilige Stundenthema auf und sind oftmals von hohem Bekanntheitsgrad. Falls Sie eine eigene Auswahl treffen wollen, sollten Sie darauf achten, dass die Texte weder zu schwierig noch zu lange sind, damit Sie die GruppenteilnehmerInnen nicht überfordern oder gar langweilen.

Alle von uns vorgeschlagenen Texte sind unter dem jeweiligen Thema zu finden, so dass Sie sie nicht erst besorgen müssen.

2. Allgemeine Themen

2.1 Bäume

Vorbereitung

Materialien

Gegenstand	Baumrinde (Ast oder Tannenzweige, Eichenblätter etc.).
Lieder	Drunten in der grünen Au (Am Brunnen vor dem Tore, Kein schöner Land, Es steht ein Baum im Odenwald, Auf einem Baum ein Kuckuck saß)
MC/CD	Vor meinem Vaterhaus steht eine Linde (Drei weiße Birken) Eventuell eine ruhige Begleitmusik für den Bewegungsteil.
Sonstiges	Verschiedene Blätter von bekannten Baumsorten zum Erkennen (zum Beispiel Eiche, Buche, Kastanie, eventuell mit den dazugehörigen Früchten).

Stundenübersicht

Einstieg	Begrüßung, Durchreichen des Gegenstandes.
Hauptteil	Assoziieren, Biografisches Arbeiten, Sprichwörter ergänzen, Wetterregel hören, Texte hören: (A) Einkehr (Gedicht von Ludwig Uhland), (B) Der Baum, der andere Blätter wollte (Erzählung von M. Evers), Singen, Baumblätter erkennen, Sich bewegen, Musik hören.
Abschluss	Gemeinsames Singen des Schlussliedes.

Gruppenstunde

Einstieg	Begrüßung, Durchreichen und Betrachten des Gegenstandes, zum Beispiel der Baumrinde. ☞ Was ist das und wozu gehört es?

Hauptteil

Assoziieren

☞ Welche Bäume kennen Sie?
– welche Laubbäume?
– welche Nadelbäume?
– welche Obstbäume?

☞ Welchen Baum holt man im Winter ins Haus?
– (Weihnachtsbaum)

Biografisches Arbeiten

☞ Hatten Ihre Eltern (*oder:* hatten Sie) einen Garten, in dem Bäume standen?
☞ Wenn ja, können Sie sich noch erinnern welche?
☞ Sind Sie als Kind auf Bäume geklettert?
☞ Haben Sie einen Lieblingsbaum?
☞ Sind Sie oft im Wald spazieren gegangen?

Sprichwörter und Redewendungen ergänzen

Den Anfang des Sprichwortes oder der Redewendung vorlesen und von der Gruppe ergänzen lassen:

Man sieht den Wald vor lauter . . . . Bäumen nicht.
Heute könnte ich . . . . Bäume ausreißen.
Einen alten Baum . . . . verpflanzt man nicht.
Jemanden auf die . . . . Palme bringen.
Auf keinen grünen . . . . Zweig kommen.

Wetterregel hören

Bei Gewitter: Buchen sollst du suchen, Eichen sollst du weichen.

Singen

Drunten in der grünen Au

Text hören (A)

Ludwig Uhland: Einkehr

Bei einem Wirte wundermild
Da war ich jüngst zu Gaste
Ein goldner Apfel war sein Schild
An einem langen Aste.

Es war der gute Apfelbaum
Bei dem ich eingekehret;
Mit süßer Kost und frischem Schaum
Hat er mich wohl genähret

Es kamen in sein grünes Haus
Viel leichtbeschwingte Gäste;
Sie sprangen frei und hielten Schmaus
Und sangen auf das beste.

Ich fand ein Bett zu süßer Ruh:
Auf weichen, grünen Matten;
Der Wirt, er deckte selbst mich zu
Mit seinem kühlen Schatten.

Nun fragt' ich nach der Schuldigkeit,
Da schüttelt er den Wipfel.
Gesegnet sei er allezeit
Von der Wurzel bis zum Gipfel

Aus: Das Buch der Gedichte. Deutsche Lyrik von den Anfängen bis zur Gegenwart. Bertelsmann, Gütersloh 1963, S. 408.

Text hören (B)

Margit Evers: Vom Baum, der andere Blätter wollte

Im Frühling, als die Tulpen, Krokusse und Osterglocken schon blühten, meinte der Baum: »Ich möchte auch blühen und die Menschen erfreuen.« Die Sonne stand bereits hoch am Himmel und sandte ihre warmen Strahlen auf die Erde nieder. Da sprossen dem Baum dicke Knospen, die an einem warmen Maitag aufsprangen und den Baum in eine weiß-rosa Blütenpracht einhüllte. Er sah aus wie ein riesiger Blumenstrauß. Doch wie auch der schönste Strauß in der Vase einmal welkt, fielen auch dem Baum die Blütenblätter ab. »Wenn ich doch nur Blätter hätte und so grün wie der Rasen und die Tannen aussehen würde,« sagte sich der Baum. »Vögel könnten in meinen Zweigen ein Nest bauen, und die Menschen hätten Schatten, wenn die Sonne zu warm scheint.«
Und siehe da, es wuchsen dem Bäumchen grüne Blätter. Zuerst waren sie hellgrün, klein und zart, doch nach einiger Zeit dunkelten sie nach. Die Menschen legten sich in der Mittagszeit unter den Baum und ruhten sich ein Weilchen im Schatten aus. Er wurde auch von vielen Vögeln besucht, die lustig ihr Lied in den Zweigen schmetterten und sogar Nester bauten.
Eigentlich war der Baum nun rundum zufrieden, doch als es Herbst wurde und die Blumen im Garten welkten, fand der Baum seine grünen Blätter langweilig, auch die Menschen und Vögel besuchten ihn wegen des kalten Windes nicht mehr. Er träumte, dass seine Blätter in den schönsten Farben weithin leuchten würden, in Rot, Gelb, Orange und Braun, und tanzen würden im Wind. So geschah es auch.
Die bunten Blätter leuchteten in der Herbstsonne, die Menschen staunten wieder und erfreuten sich an der Vielfalt der Farben, und als der Herbststurm blies, tanzten die Blätter lustig im Wind. Auf und nieder flogen sie, wurden weit, weit fortgetragen. Sie fielen alle ab, bis der Baum kein Blatt mehr hatte. Doch das war dem Baum auch nicht recht. »Ohne Blätter und Blüten ist es kalt, mich friert. Wo ist die warme Sonne, wer deckt mich zu, wenn der Frost kommt?« fragte sich das Bäumchen.
Des Nachts fiel der erste Schnee, legte sich auf die Zweige und Äste unseres Baumes, er deckte ihn wie eine Wolldecke warm und weich zu. Das Bäumchen hielt einen langen Schlaf, ihm träumte vom Frühling, wie er in der weiß-rosa Blütenpracht von den Menschen beachtet werden würde.

Aus: Geselligkeit mit Senioren. Wahrnehmen, Gestalten und Bewegen. Beltz, Weinheim und Basel 1994, S. 126.

Blätter erkennen	*Zeigen und herumreichen der einzelnen Blätter zum Erkennen und Erkunden.*

Sich bewegen	☞ Wir haben viel über Bäume gesprochen, jetzt möchte ich mich mit Ihnen noch ein bisschen bewegen.
	Eventuell ruhige Musik einstellen. LeiterIn erklärt zuerst verbal die jeweilige Bewegung und macht sie dann der Gruppe zum Nachmachen vor. Co-LeiterIn gibt den TeilnehmerInnen Hilfestellung.
	☞ Setzen Sie sich aufrecht auf Ihren Stuhl. Drücken Sie Ihre Füße fest auf den Boden. Auch ein Baum steht so fest!
	☞ Nehmen Sie beide Arme nach oben, strecken Sie sie zur Decke, so weit Sie können. Versuchen Sie, noch ein bisschen weiter nach oben zu kommen. So groß ist ein Baum!
	☞ Nehmen Sie die Arme wieder herunter und schütteln Sie sie aus.
	☞ Strecken Sie Ihre Arme auch einmal nach links, nach rechts, nach vorne, nach hinten. Und noch einmal in alle Richtungen. So breitet sich ein Baum aus und wächst in alle Richtungen.
	☞ Wiegen Sie nun den Oberkörper leicht nach vorne und hinten, nach rechts und nach links. Noch einmal in alle Richtungen. So biegsam ist ein Baum.
	☞ Wir nehmen nun unseren linken und rechten Nachbarn an der Hand, strecken die Arme in die Höhe, als ob wir zusammen eine Baumkrone bildeten. Nun wiegen wir uns sanft in alle Richtungen, wie ein Baum im Wind.
	☞ Und langsam nehmen wir wieder die Hände nach unten und lösen uns voneinander.

Musik hören	Vor meinem Vaterhaus steht eine Linde

Abschluss	Gemeinsames Singen des Schlussliedes (zum Beispiel »Die Vogelhochzeit«).

2.2 Berufe

Materialien

Gegenstand	Hammer.
Lieder	Ein Jäger aus Kurpfalz (Die blauen Dragoner, Es klappert die Mühle am rauschenden Bach, Grün, grün, grün sind alle meine Farben, Was macht der Fährmann)
MC/CD	Siehe Liederauswahl.
Sonstiges	– Verschiedene, *berufstypische* Werkzeuge zum Erkennen (zum Beispiel Kochlöffel, Nudelholz, Schere, Nadel und Faden, Kreide oder auch kleine Schiefertafel, Lockenwickler, Zollstock, Pinsel und Farbe, Verbandszeug). – Buchstabenwürfel oder Buchstabenkarten für das Beruferaten.

Stundenübersicht

Einstieg	Begrüßung, Durchreichen des Gegenstandes.
Hauptteil	Berufstypische Werkzeuge erkennen, Biografisches Arbeiten, Assoziieren, Singen, Pantomimisches Beruferaten *oder* Beruferaten mit Buchstabenwürfel oder -karten, Texte hören: (A) Das Lied von der Glocke – erste Strophe (Ballade von Friedrich Schiller), (B) Die Heinzelmännchen (Gedicht von August Kopisch), Sprichwörter und Redewendungen ergänzen.
Abschluss	Gemeinsames Singen des Schlussliedes.

Gruppenstunde

Einstieg

Begrüßung,
Durchreichen und Betrachten des Hammers.
☞ Was ist das für ein Werkzeug und wer braucht es?

Hauptteil

*Berufstypische
Werkzeuge erkennen*

*Zeigen und erkennen lassen der Werkzeuge.
LeiterIn kann fragen, für welchen Beruf das jeweilige Werkzeug wichtig ist.*

---

*Biografisches
Arbeiten*

☞ Was haben Sie für einen Beruf ausgeübt?
☞ Welchen Beruf hatte Ihre Frau (Mann, Vater …)?
☞ War Ihr Berufsleben anstrengend?
☞ Haben Sie Ihren Beruf gemocht oder eher nicht?
☞ Haben Sie früher eine bestimmte Berufskleidung getragen?

Assoziieren

☞ Wer trägt berufsbedingt eine …
weiße .... (Bäcker, Arzt)
blaue .... (Schlosser, Schaffner)
schwarze.. (Schornsteinfeger, Pfarrer)
rote .... (Feuerwehrleute, Sanitäter)
grüne Kleidung? .... (Gärtner, Jäger, Polizist)

Singen

Grün sind alle meine Kleider

---

*Pantomimisches
Beruferaten*

*LeiterIn macht jeweils eine typische Handbewegung vor, die zu einem Beruf gehört und
lässt die Gruppe die Bewegung (und den Beruf) erraten.*

Beispiele: Bäcker / Kneten
Schreiner / Sägen
Maler / Anstreichen
Zimmermann / Hämmern
Arzt oder Krankenschwester / Verband anlegen
Sekretärin / Tippen
Dirigent / Dirigieren
Verkehrspolizist / Verkehr regeln
Omnibusfahrer, Taxifahrer / Fahrzeug lenken
Landwirt / Mit der Sense mähen
Schneiderin / Nähen

oder Beruferaten:

Buchstabenwürfel reihum geben oder Buchstabenkarten ziehen lassen. Die Gruppe soll
gemeinsam nach einer Berufsbezeichnung suchen, die mit dem gewürfelten beziehungsweise gezogenen Buchstaben beginnt.

*LeiterIn kann als Hilfestellung ergänzende Fragen stellen. Wird ein Beruf mit Anfangs-
buchstabe »A« gesucht, kann zum Beispiel nach dem Beruf des Apothekers gefragt und folgende Frage an die Gruppe gestellt werden:*
☞ Wer verkauft Medikamente?

Text hören (A)

Friedrich Schiller: Das Lied von der Glocke (1. Strophe)

Fest gemauert in der Erden
Steht die Form, aus Lehm gebrannt.
Heute muss die Glocke werden!
Frisch, Gesellen, seid zur Hand!
Von der Stirne heiß
Rinnen muss der Schweiß,
Soll das Werk den Meister loben;
Doch der Segen kommt von oben.

Aus: Das Buch der Gedichte. Deutsche Lyrik von den Anfängen bis zur Gegenwart. Bertelsmann, Gütersloh 1963, S. 474 ff.

Text hören (B)

August Kopisch: Die Heinzelmännchen
LeiterIn kann von dem Gedicht auch nur die fettgedruckten Strophen zum Vorlesen auswählen

Wie war zu Köln es doch vordem
Mit Heinzelmännchen so bequem!
Warf hin das Zeug und legte sich
Hin auf die Bank und pflegte sich:
Da kamen bei Nacht,
Ehe mans gedacht,
Die Männlein und schwärmten
Und klapperten und lärmten,
Und rupften
Und zupften,
Und hüpften und trabten
Und putzten und schabten
Und eh' ein Faulpelz noch erwacht, …
War all sein Tagewerk … bereits gemacht!

Die Zimmerleute streckten sich
Hin auf die Spän' und reckten sich.
Indessen kam die Geisterschar
Und sah, was zu zimmern war.
Nahm Meißel und Beil
Und die Säg' in Eil';
Sie sägten und stachen
Sie hieben und brachen,
Berappten
Und kappten,
Visierten wie Falken
Und setzten die Balken
Eh sichs der Zimmermann versah …
Klapp, stand das ganze Haus … schon fertig da!

Beim Bäckermeister war nicht Not,
Die Heinzelmännchen backten Brot.
Die faulen Burschen legten sich,

Die Heinzelmännchen regten sich –
    Und ächzten daher
    Mit den Säcken schwer!
    Und kneteten tüchtig
    Und wogen es richtig,
    Und hoben
    Und schoben,
    Und fegten und backten
    Und klopften und hackten
Die Burschen schnarchten noch im Chor:
Da rückte schon das Brot, … das neue, vor!

Beim Fleischer ging es just so zu:
Gesell und Bursche lag in Ruh.
Indessen kamen die Männlein her
Und hackten das Schwein die Kreuz und Quer.
    Das ging so geschwind
    Wie die Mühl im Wind!
    Die klappten mit Beilen.
    Die schnitzten an Speilen.
    Die spülten,
    Die wühlten,
    Und mengten und mischten
    Und stopften und wischten.
Tat der Gesell die Augen auf …
Wapp! hing die Wurst da schon im Ausverkauf!

Einst hatt ein Schneider große Pein:
Der Staatsrock sollte fertig sein;
Warf hin das Zeug und legte sich
Hin auf das Ohr und pflegte sich.
    Da schlüpften sie frisch
    In den Schneidertisch;
    Da schnitten und rückten
    Und nähten und stickten
    Und faßten
    Und paßten,
    Und strichen und guckten
    Und zupften und ruckten,
Und eh mein Schneiderlein erwacht:
War Bürgermeisters Rock … bereits gemacht!

Neugierig war des Schneiders Weib,
Und macht sich diesen Zeitvertreib:
Streut Erbsen hin die andre Nacht,
Die Heinzelmännchen kommen sacht:
    Eins fährt nun aus,
    Schlägt hin im Haus,
    Die gleiten von Stufen
    Und plumpen in Kufen,
    Die fallen
    Mit Schallen,
    Die lärmen und schreien
    Und vermaledeien!
Sie springt hinunter auf den Schall

Mit Licht: husch husch husch husch!
verschwinden all!

O weh! Nun sind sie alle fort
Und keines ist mehr hier am Ort!
Man kann nicht mehr wie sonsten ruhn,
Man muss nun alles selber tun!
    Ein jeder muss fein
    Selbst fleißig sein,
    Und kratzen und schaben
    Und rennen und traben,
    Und schniegeln
    Und bügeln
    Und klopfen und hacken
    Und kochen und backen.
Ach, dass es noch wie damals wär!
Doch kommt die schöne Zeit nicht wieder her!

Aus: Strich, Ch., (Hrsg.): Wer reitet so spät durch Nacht und Wind. Diogenes, Zürich 1981, S. 154ff.

Sprichwörter und Redewendungen ergänzen

Den Anfang des Sprichwortes oder der Redewendung vorlesen und von der Gruppe vervollständigen lassen.

Schuster, bleib' bei deinen . . . . Leisten.
Arbeit macht das Leben . . . . süß.
Der Beruf ernährt seinen . . . . Mann.
Frieren wie ein . . . . Schneider.
Der dümmste Bauer hat die . . . . dicksten Kartoffeln.
Was der Bauer nicht kennt, das . . . . isst er nicht.
Jeder ist seines Glückes . . . . Schmied.
Viele Köche verderben . . . . den Brei.
Hunger ist der beste . . . . Koch.

Abschluss

Gemeinsames Singen des Schlussliedes (zum Beispiel »Die Vogelhochzeit«).

2.3 Farben

Vorbereitung

Materialien

Gegenstand Verschiedenene einfarbige Tücher in Anzahl der TeilnehmerInnen.

Lieder Grün sind alle meine Kleider
(Hoch auf dem gelben Wagen,
Wenn die bunten Fahnen wehen,
Grün ist die Heide)

MC/CD »An der schönen blauen Donau« für den Bewegungsteil.

Sonstiges Vergißmeinicht-Blume (je nach Jahreszeit), passend zum Text.

Stundenübersicht

Einstieg Begrüßung,
Durchreichen des Gegenstandes.

Hauptteil Wahrnehmen und Assoziieren,
Singen,
Farben und Bedeutung erinnern,
Sprichwörter und Redewendungen ergänzen,
Text hören:
  Vergißmeinicht (Gedicht, Verfasser unbekannt),
  Vergißmeinicht zeigen, wenn vorhanden,
Farbenraten,
Liederraten,
Musik hören und sich dazu bewegen mit den Tüchern.

Abschluss Gemeinsames Singen des Schlussliedes.

Gruppenstunde

Einstieg

Begrüßung,
ein Tuch durchreichen und Fragen dazu stellen:
☞ Gefällt Ihnen das Tuch?
☞ Gefällt Ihnen die Farbe?
☞ Fühlt sich der Stoff angenehm an?

Hauptteil

*Wahrnehmen
und Assoziieren*

Die verschiedenfarbigen Tücher zeigen und nach der Farbe fragen.
Reihum nach der Lieblingsfarbe fragen, eventuell zur Hilfestellung Tücher verwenden.

☞ Oft ist die Lieblingsfarbe auch die, welche man am liebst trägt. Hat jemand etwas in seiner Lieblingsfarbe an?
☞ Was ist alles rot, gelb, grün … in diesem Raum?
☞ Was trägt Ihr/Ihre NachbarIn? Welche Farben haben seine/ihre Kleider, sein/ihr Pullover?

Singen

Grün sind alle meine Kleider

---

*Farben und
Bedeutung
erinnern*

☞ Rot ist die Farbe der …? .... (Liebe)
Blau .... (Treue)
Grün... (Hoffnung)
Gelb .... (Eifersucht, Falschheit, Neid)
Weiß... (Unschuld, die Farbe der Braut)
Schwarz....................................... (Trauer)

---

*Sprichwörter und
Redewendungen
ergänzen*

Den Anfang des Sprichwortes oder der Redewendung vorlesen und von der Gruppe ergänzen lassen:

Mit einem blauen Auge .... davonkommen.
Jemand kann sein blaues.......................... Wunder erleben.
Eine Fahrt ins .... Blaue machen.
Bei Nacht sind alle Katzen .... grau.
Auf keinen grünen................................ Zweig kommen.
Reden ist Silber, Schweigen ist..................... Gold.
Jemand hat eine weiße........................... Weste an.

---

*Text hören und
Vergißmeinicht
zeigen*

☞ Blau ist die Farbe der Treue. Es gibt eine kleine blaue Blume mit kleinen blauen Blüten, die als Sinnbild dafür steht: Das Vergißmeinicht.
Wenn vorhanden, das Vergißmeinicht den TeilnehmerInnen zeigen.

Vergißmeinicht (anonym)

1. Es blüht ein schönes Blümchen
   Auf unserer grünen Au.
   Sein Aug ist wie der Himmel
   So heiter und so blau.

2. Es weiß nicht viel zu reden
   Und alles, was es spricht,
   Ist immer nur dasselbe,
   Ist nur: »Vergißmeinicht«.

3. Wenn ich zwei Äuglein sehe,
   So heiter und so blau,
   So denk ich an mein Blümchen
   Auf unsrer grünen Au.

4. Da kann ich auch nicht reden
   Und nur mein Herze spricht,
   So bange nur, so leise,
   Und nur: »Vergißmeinicht«.

Farbenraten

☞ Wenn etwas blau wie der Himmel ist, nennt man es himmelblau.

Etwas anderes kann Himbeer.......................... rot,
Schnee... weiß,
Gras .... grün,
Dotter .... gelb,
Veilchen .... blau,
Blüten .... weiß,
Zitronen... gelb,
Feuer .... rot,
Kastanien.. braun,
Maus .... grau,
Tannen .... grün,
Reh .... braun sein.

Liederraten

☞ Es gibt viele Lieder, bei denen Farben eine Rolle spielen.
Die Liederanfänge nennen oder summen, bei Erraten eventuell weitersingen.

Hoch auf dem .... gelben Wagen
Kornblumen................................ blau
Rote Rosen, rote Lippen........................ roter Wein
Ob blond, ob braun............................ ich liebe alle Frau'n
Ja, ja, so blau, blau, blau....................... blüht der Enzian
Die schwarze................................ Barbara
Schwarzbraun ist die .... Haselnuss
Drunten in der................................ grünen Au
Die blauen................................ Dragoner
Schneeflöckchen .... Weißröckchen
Weiß mir ein Blümlein........................ blaue
An der schönen blauen........................ Donau

---

*Musik hören und
sich bewegen*

Jede/jeder TeilnehmerIn wählt ein Tuch aus, die Melodie »Zur schönen Donau« wird abgespielt, eventuell mitsingen und dazu werden mit den Tüchern Bewegungen in die Luft gezeichnet. LeiterIn macht die Bewegungen vor, Co-LeiterIn gibt Hilfestellung.

Abschluss

Gemeinsames Singen des Schlussliedes (zum Beispiel »Die Vogelhochzeit«).

2.4 Freundschaft

Materialien

Gegenstand	Poesiealbum (Sprüche, die man in einem Poesiealbum finden kann).
Lieder	Wahre Freundschaft kann nicht wanken (Kein schöner Land)
MC/CD	Ein Freund, ein guter Freund (Alte Kameraden)
Sonstiges	Wollknäuel aus dicker Wolle für den Bewegungsteil.

Stundenübersicht

Einstieg	Begrüßung, Durchreichen des Gegenstandes beziehungsweise Vorlesen der Sprüche.
Hauptteil	Biografisches Arbeiten, Sprichwörter und Redewendungen ergänzen, Singen, Text hören: Der Mensch hat nichts so eigen (Gedicht von Simon Dach, Strophen 1–3), Sich bewegen, Musik hören.
Abschluss	Gemeinsames Singen des Schlussliedes.

Gruppenstunde

Einstieg

Begrüßung,
Durchreichen und Betrachten des Poesiealbums beziehungsweise Vorlesen von Sprüchen.

Beispiele: – Rosen, Tulpen, Nelken, alle Blumen welken, Nur die eine nicht, die da heißt Vergißmeinicht.

– Marmorstein und Eisen bricht, aber unsre Freundschaft nicht.

– Willst du glücklich sein im Leben, trage bei zu andrer Glück, denn die Freude, die wir geben, kehrt ins eigne Herz zurück.

Hauptteil

Biografisches Arbeiten

☞ Hatten Sie als Kind auch ein Poesiealbum?

☞ Können Sie sich noch an Sprüche aus dem Poesiealbum erinnern?

☞ Wer hat in das Poesiealbum hinein geschrieben?

☞ Können Sie sich noch an SchulfreundInnen von früher erinnern? An ihre Namen?

☞ Was haben Sie zusammen unternommen?

☞ Wo haben Sie Ihre FreundInnen, Ihre Kameraden kennen gelernt?
(Arbeit, Vereine, Krieg)

Sprichwörter und Redewendungen ergänzen

Den Anfang des Sprichwortes oder der Redewendung vorlesen und von der Gruppe ergänzen lassen:

Mit jemandem durch dick und . . . .   dünn gehen.
Geteiltes Leid ist . . . .   halbes Leid.
Geteilte Freude ist . . . .   doppelte Freude.

Singen

Wahre Freundschaft kann nicht wanken

Text hören

Simon Dach: Der Mensch hat nichts so eigen (1.–3. Strophe)

1. Der Mensch hat nichts so eigen,
   So wohl steht ihm nichts an,
   Als dass er Treu erzeigen
   Und Freundschaft halten kann;
   Wann er mit seinesgleichen
   Soll treten in ein Band,
   Verspricht sich, nicht zu weichen
   Mit Herzen, Mund und Hand.

2. Die Red ist uns gegeben
   Damit wir nicht allein
   Für uns nur sollen leben
   Und fern von Leuten sein;
   Wir sollen uns befragen
   Und sehn auf guten Rat,
   Das Leid einander klagen,
   So uns betreten hat.

3. Was kann die Freude machen,
   Die Einsamkeit verhehlt?
   Das gibt ein doppelt Lachen,
   Was Freunden wird erzählt.
   Der kann sein Leid vergessen,
   Der es von Herzen sagt;
   Der muss sich selbst auffressen,
   Der insgeheim sich nagt.

*Aus: Das Buch der Gedichte.
Deutsche Lyrik von den Anfängen
bis zur Gegenwart. Bertelsmann.
Gütersloh 1963, S. 593.*

Sich bewegen	☞ Im Gedicht war von Freundschaftsbanden die Rede. Ich möchte nun mit Ihnen gemeinsam ein Band knüpfen, das zwischen uns aufgespannt wird. Hier ist ein Wollknäuel. Wir werfen uns dieses Knäuel im Kreis zu. Wer es auffängt, hält ein Stück davon fest und gibt es dann an einen anderen weiter. *LeiterIn und Co-LeiterIn geben Hilfestellung.* *Anschließend Betrachten des gemeinsamen Werkes und versuchen, das Ganze wieder rückwärts aufzurollen.*
Musik hören	Ein Freund, ein guter Freund
Abschluss	Gemeinsames Singen des Schlussliedes (zum Beispiel »Die Vogelhochzeit«).

2.5 Garten

Materialien

Gegenstand   Heimisches Gemüse oder Obst (zum Beispiel grüne Bohnen, ein Apfel).

Lieder   Spannenlanger Hansel
                        (Im Rosengarten von Sanssouci,
                        Das bucklige Männlein)

Sonstiges   – Obst und Gemüse im mundgerechte Stücke geschnitten zum Kosten (geeignet sind: Möhren, Radieschen, grüne Erbsen und alle Obstsorten).
                        – *alternativ* für die Zubereitung eines Obstsalats werden benötigt: Diverse Obstsorten (Bananen, Orangen, Äpfel, Trauben, Obst der Saison), etwas Joghurt und Zucker oder flüssigen Süßstoff. (*Auf DiabetikerInnen achten*). Außerdem eine große Schüssel, Obstmesser, große und kleine Löffel und Schälchen nach Anzahl der TeilnehmerInnen.

Stundenübersicht

Einstieg   Begrüßung,
                        Durchreichen des Gegenstandes.

Hauptteil   Biografisches Arbeiten,
                        Singen,
                        Assoziieren,
                        Raten und Erinnern,
                        Assoziieren,
                        Texte hören:
                        (A)   Einleitungen zu fremden Gedichten (Vierzeiler von Eduard Mörike. Nr. 2),
                        (B)   Der Gärtner (Gedicht von Joseph von Eichendorff, 2. Strophe),
                        Früchte erkennen und probieren,
                        Alternative: Obstsalat zubereiten und probieren.

Abschluss   Gemeinsames Singen des Schlussliedes.

Gruppenstunde

Einstieg	Begrüßung, Durchreichen und Betrachten des Gegenstandes (zum Beispiel Bohne). ☞ Was ist das? Wo wächst es?

Hauptteil

Biografisches *Arbeiten*	☞ Hatten Ihre Eltern (*oder:* Hatten Sie) einen Garten? ☞ Hatten Sie einen großen oder einen kleinen Garten? ☞ Haben Sie gerne im Garten gearbeitet? ☞ Hatten Sie auch ein Gartenhäuschen oder eine Laube? ☞ Gab es außer Gemüse auch Blumen in Ihrem Garten?
Singen	Spannenlanger Hansel
Assoziieren	☞ Welche Beerensträucher wachsen im Garten? (Brombeere, Himbeere, Johannisbeere, Stachelbeere …) ☞ Welche Gemüsesorten wachsen im Garten? (Wirsing, Grünkohl, Weißkohl, Rotkohl, Erbsen, Bohnen …) ☞ Welche Gartenkräuter kennen Sie? (Petersilie, Schnittlauch, Dill …)
Raten und Erinnern	☞ Was wächst im Garten und ist … rot? .... (Radieschen, Rote Beete, Rotkohl …) blau? .... (Blaukraut, Heidelbeeren, …) gelb? .... (Kürbis, Mirabellen, Kartoffeln, …) grün? .... (Gurken, Erbsen, Salat, …) schwarz? .... (Brombeeren, Johannisbeeren, …) weiß? .... (Zwiebel, Sellerie, …)
Assoziieren	Welche Arbeiten fallen im Garten an? (Säen, Umgraben, Ernten, Unkraut jäten, …) ☞ Was kann man machen, um die Früchte vor den Vögeln zu schützen? (Vogelscheuche aufstellen, Netze aufspannen) ☞ Welche Tiere sind gut für den Garten und sorgen für eine lockere Erde? (Regenwürmer) ☞ Mit was kann man seinen Garten düngen? (Kompost, Mist)

Texte hören (A)	**Eduard Mörike: Einleitungen zu fremden Gedichten (Nr. 2)**

Hab' ich aus dem eignen Garten
Nichts von Früchten aufzuwarten;
Hinter meines Nachbarn Hecken
Gibt es, die noch besser schmecken.

Aus: Göpfert, H.G. (Hrsg.): Eduard Mörike. Werke in einem Band. Deutscher Taschenbuch Verlag, München 1995, S. 256.

Texte hören (B)	**Joseph von Eichendorff: Der Gärtner (2. Strophe)**

In meinem Garten find ich
Viel Blumen, schön und fein;
Viel Kränze wohl daraus wind ich,
Und tausend Gedanken bind ich
Und Grüße mit darein.

Aus: Rasch. W. (Hrsg.): Joseph von Eichendorff. Werke in einem Band. Deutscher Taschenbuch Verlag, München 1995, S. 174.

Früchte erkennen und probieren

☞ Wir haben vorhin Gemüse- und Obstsorten aufgezählt, die im Garten wachsen. Einige Kostproben haben wir mitgebracht.
☞ Erkennen Sie die unterschiedlichen Gemüse- und Obstsorten?
☞ Was möchten Sie einmal probieren?
☞ Wie schmeckt es?

Gemüse und Obst werden in mundgerechte Stücke geschnitten und jede/jeder TeilnehmerIn kann sich aussuchen, was sie/er davon kosten möchte.
LeiterIn und Co-LeiterIn geben bei der Auswahl Hilfestellung.

Alternative: Obstsalat zubereiten und probieren

☞ Wir haben vorhin über Obstsorten gesprochen und einige von ihnen mitgebracht. Daraus möchten wir gemeinsam einen Obstsalat herstellen.

LeiterInnen fragen die TeilnehmerInnen, wer mithelfen möchte das Obst zu schneiden und verteilen die Arbeiten je nach der eingeschätzten Kompetenz der TeilnehmerInnen. Das zerkleinerte Obst kommt in eine große Schüssel und wird mit Joghurt und Süße verfeinert. Besonders Bananen geben dem Obstsalat einen milden Geschmack und sollten deshalb – obwohl sie nicht zum heimischen Obst zählen – auf keinen Fall fehlen.
LeiterIn und Co-Leiterin geben bei der Zubereitung Hilfestellung.

Abschluss

Gemeinsames Singen des Schlussliedes (zum Beispiel »Die Vogelhochzeit«).

2.6 Geld

Materialien

Gegenstand	Geldmünzen oder eine Geldbörse mit Münzen.
Lieder	Was frag' ich viel nach Geld und Gut (Der liebe Augustin, Taler, Taler, du musst wandern, Gold und Silber lieb' ich sehr)
MC/CD	Und dann hau' ich mit dem Hämmerchen …
Sonstiges	Für den Bewegungsteil in Anzahl der TeilnehmerInnen Am besten alte 10-Pfennig-, 50-Pfennig-, Mark- und 2-Markmünzen sowie eine größere Plastikschüssel.

Stundenübersicht

Einstieg	Begrüßung, Durchreichen des Gegenstandes.
Hauptteil	Biografisches Arbeiten, Text hören: Vagabundenmahlzeit (Gedicht von Heinrich Seidel, 3. Strophe), Biografisches Arbeiten, Assoziieren, Sprichwörter und Redewendungen ergänzen, Sich bewegen und geschickt sein, Musik hören.
Abschluss	Gemeinsames Singen des Schlussliedes.

Gruppenstunde

Einstieg Begrüßung,
Münzen oder die Geldbörse mit Münzen durchgeben und erkunden lassen.
☞ Erkennen Sie die Münzen?

Hauptteil

Biografisches
Arbeiten
☞ Zu welchen Anlässen haben Sie als Kind Geld geschenkt bekommen?
☞ Haben Sie sich das Geld aufgehoben oder ausgegeben?
☞ Wo haben Sie das Geld aufgehoben?
☞ Für was haben Sie das Geld ausgegeben?
☞ Können Sie sich noch daran erinnern, wann Sie das erste Geld verdient haben?
☞ Haben Sie immer sparen müssen oder hatten Sie immer ausreichend Geld?

Text hören **Heinrich Seidel: Vagabundenmahlzeit (3. Strophe)**

Denn der Sonne ist es gleich
Hoch und niedrig,
Arm und reich,
Die was haben, die was pumpen,
Millionäre oder Lumpen,
Könige und Vagabunden –
Alle werden gleich befunden,
Alle mit dem selben Licht
Küsst ihr freundlich Angesicht.

Aus: Ilse Buchholz (Hrsg.): Heinrich Seidel – Erzählungen und Gedichte. Union Verlag,
Berlin 1962, S. 344.

Biografisches
Arbeiten
☞ Haben Sie einmal für etwas ganz bestimmtes Geld zurückgelegt?
  (zum Beispiel für Auto, Haus, Kleidung?)
☞ Haben Sie einmal für etwas sehr viel Geld ausgegeben?
☞ Haben Sie Lotto gespielt?
☞ Wie wichtig war (ist) Ihnen Geld?

Singen Was frag ich viel nach Geld und Gut

Assoziieren
☞ Was, fällt Ihnen ein, was sehr teuer/billig ist?
☞ Für den Ausdruck Geld gibt es zahlreiche Bezeichnungen. Man kann zum Beispiel
  auch von »Moneten« sprechen.
  Welche weiteren Ausdrücke fallen Ihnen ein?
  (Knete, Mäuse, Piepen, Pinke, Zaster)

Sprichwörter und Redewendungen ergänzen	*Den Anfang des Sprichwortes oder der Redewendung vorlesen und von der Gruppe ergänzen lassen.*

Sein Geld im Schlaf............................... verdienen.
Etwas auf die Goldwaage.......................... legen.
Bei ihm ist der Groschen.......................... gefallen.
Sein Geld unter die .... Leute bringen.
Manchmal liegt das Geld auf der .... Straße.
Reden ist Silber, Schweigen ist..................... Gold.
Geld stinkt .... nicht.
Von manchen Leuten sagt man, dass sie im Geld .... schwimmen.
Das Geld aus dem Fenster......................... hinauswerfen.
Etwas für bare .... Münze nehmen.
Sich etwas vom Munde .... absparen.
Das Geld auf die hohe .... Kante legen.
Geld allein macht nicht........................... glücklich.
Haste was dann................................... biste was.
Wer den Pfennig nicht ehrt .... ist des Talers nicht wert.

Sich bewegen und geschickt sein	*Die mitgebrachten Geldmünzen werden nacheinander den TeilnehmerInnen gezeigt mit der Aufforderung, sich eine davon auszusuchen und zu nehmen.* *Die nachfolgend vorgeschlagenen Bewegungsübungen dienen der Feinmotorik und es werden unter Umständen einige Schwierigkeiten bei der Ausführung auftreten. Deswegen ist es wichtig, dass die LeiterInnen das Spielerische der Übungen hervorheben.*

☞ Versuchen Sie, die Münze auf der Tischplatte zu drehen, bis sie tanzt.
☞ Werfen Sie die Münze mit Ihrer rechten Hand hoch und versuchen Sie, sie wieder zu fangen.
☞ Werfen Sie nun die Münze mit der linken Hand hoch und fangen Sie sie wieder.
☞ Werfen Sie die Münze mit der einen Hand hoch und fangen Sie sie mit der anderen.
☞ Werfen Sie die Münze nach oben und versuchen Sie, die Münze mit dem Handrükken aufzufangen.
☞ Wir stellen nun eine Schüssel in die Mitte des Kreises. Versuchen Sie, Ihre Münze dort hinein zu werfen!

LeiterIn macht die Bewegungen vor, Co-LeiterIn gibt Hilfestellung.

Musik hören	*Und dann hau' ich mit dem Hämmerchen …*

Abschluss	Gemeinsames Singen des Schlussliedes (zum Beispiel »Die Vogelhochzeit«).

2.7 Hochzeit

Materialien

Gegenstand	(Ehe-)Ring, goldfarben.
Lieder	Du, du liegst mir im Herzen (Ännchen von Tharau, Das Lieben bringt groß Freud)
MC/CD	Zillertaler Hochzeitsmarsch für den Bewegungsteil.

Stundenübersicht

Einstieg	Begrüßung, Durchreichen des Gegenstandes.
Hauptteil	Biografisches Arbeiten, Singen, Text hören: O, wie lieblich (Gedicht von Wilhelm Busch), Assoziieren, Biografisches Arbeiten, Musik hören und Rhythmus begleiten.
Abschluss (A)	Gemeinsames Singen des Schlussliedes.
Abschluss (B)	Gemeinsames Singen des Schlussliedes und Bewegung.

Gruppenstunde

Einstieg	Begrüßung, Herumreichen des Ringes, TeilnehmerInnen untereinander die eigenen Ringe vergleichen lassen.

Hauptteil

Biografisches *Arbeiten*	☞ Sie tragen auch einen Ring? ☞ Können Sie sich noch erinnern, wann Sie diesen Ring bekommen/gekauft haben? ☞ Ist das Ihr Hochzeitsring? ☞ Sind Sie verheiratet? Wie heißt Ihr Mann, Ihre Frau mit Vornamen? ☞ Wissen Sie noch, wo Sie Ihre Frau, Ihren Mann kennen gelernt haben? 　(Tanzstunde, Arbeit, Fest …)
Singen	Du, du liegst mir im Herzen

Text hören	**Wilhelm Busch: O, wie lieblich** O wie lieblich, o wie schicklich Sozusagen herzerquicklich, Ist es doch für eine Gegend, Wenn zwei Leute, die vermögend, Außerdem mit sich zufrieden, Aber von Geschlecht verschieden, Wenn nun diese, sag ich, ihre Dazu nötigen Papiere, Sowie auch die Haushaltssachen Endlich mal in Ordnung machen Und in Ehre und beizeiten Hin zum Standesamte schreiten, Wie es denen, welche lieben, Vom Gesetze vorgeschrieben; Dann ruft jeder freudiglich: »Gott sei Dank! Sie haben sich!« *Aus: Götz, K. (Hrsg.): Das fröhliche Jahr. Stieglitz, Mühlacker 1982, S. 235.*

Assoziieren	☞ Vor einer Hochzeit gibt es einiges zu erledigen. Was benötigt man alles für eine Hochzeit? 　(Hochzeitskleid, Anzug oder Frack, Ringe, Musiker, Pfarrer, …)

Biografisches *Arbeiten*	☞ Als Sie geheiratet haben, wer stand Ihnen zur Seite? ☞ Wissen Sie noch, wer Ihre Trauzeugen waren? ☞ Wo haben Sie gefeiert – Zuhause oder in einer Gastwirtschaft? ☞ Gab es etwas besonderes zu essen? ☞ Gab es Musik zu Ihrer Hochzeit? ☞ Können Sie sich noch an Ihre Hochzeitskleidung erinnern?

☞ Auf manchen Hochzeiten werden dem Brautpaar Streiche gespielt. So wird zum Beispiel die Braut entführt und muss vom Bräutigam gefunden werden. Wurde Ihnen auch ein solcher Streich gespielt?

Musik hören und Rhythmus begleiten

☞ Zu einer Feier gehören auch Musik und Tanz. Oft eröffnet das Brautpaar mit einem Walzer den allgemeinen Tanz.
Ich möchte Ihnen nun den Zillertaler Hochzeitsmarsch vorspielen und mit Ihnen zum Takt klatschen.

Abschluss (A)

Gemeinsames Singen des Schlussliedes (zum Beispiel »Die Vogelhochzeit«).

Abschluss (B)

Das Stunden-Abschlusslied »Die Vogelhochzeit« kann mit Bewegung begleitet werden. Zum Beispiel folgendermaßen:
Während des Refrains wird im Takt in die Hände geklatscht.

Ein Vogel wollte Hochzeit machen in dem grünen Walde
Arme wie Flügel schwingen.

Der Stieglitz war der Bräutigam, er singt zu Gottes Gloriam
Mit den Füßen auf der Stelle stampfen.

Die Amsel war die Braute, trug einen Kranz von Raute
Mit den Händen einen Kreis um den Kopf zeigen.

Der schwarze Rab', das war der Koch, das sieht man an dem Kleide doch
Mit der rechten Hand rühren.

Die Elster, die ist schwarz und weiß, die bracht der Braut die Hochzeitsspeis
Hände so halten, als würde man ein Tablett tragen.

Die Gänse und die Anten, das warn die Musikanten
Pantomimisch Klavierspielen.

Jetzt ist die Vogelhochzeit aus und alle ziehn vergnügt nach Haus
Winken – eventuell mit einem Taschentuch.

(Die Strophen wurden aus 2 Quellen zusammengestellt: Hansen, W. (Hrsg.): Das große Hausbuch der Volkslieder. Mosaik, München 1978, S. 277 und Deutscher Paritätischer Wohlfahrtsverband e.V. Frankfurt/M. (Hrsg.): Gemeinsam singen. Walhalla und Praetoria, Regensburg 1994, S. 31)

2.8 Kindheit

Vorbereitung

Materialien

Gegenstand	Plüschbär oder Puppe (Auch Spielzeug wie: Holzkreisel, Hüpfseil, Ball, Lokomotive …).
Lieder	Ringlein, Ringlein, *oder*: Taler, Taler, du musst wandern (Spannenlanger Hansel, Wenn eine Mutter ihr Kind tut wiegen)
MC/CD	Ruhige Musik zum Beispiel: T. Albinoni »Adagio« aus »Konzert op 9 Nr. 2« (G.F. Händel »Aria Larghetto« aus Concerto grosso op. 6).

Stundenübersicht

Einstieg	Begrüßung, Durchreichen des Gegenstandes.
Hauptteil	Biografisches Arbeiten, Liederraten, Texte hören: (A) Wiegenlied (Gedicht von Clemens Brentano), (B) Mein Kind, wir waren Kinder (Gedicht von Heinrich Heine), Singen und sich bewegen, Musik hören und sich bewegen.
Abschluss	Gemeinsames Singen des Schlussliedes.

Gruppenstunde

Einstieg   Begrüßung,
Herumreichen des Plüsch-Bärs oder der Puppe.

Hauptteil

Biografisches   ☞ Hatten Sie auch als Kind so einen Plüsch-Bär (eine Puppe)?
Arbeiten   ☞ Welches Spielzeug hatten Sie als Kind?
(Lokomotive, Kreisel, …)
☞ Wo sind Sie geboren, wo haben Sie Ihre Kindheit verbracht?
☞ Haben Sie Geschwister?
☞ Wer waren Ihre Spielkameraden?
☞ Waren Sie ein braves Kind? Haben Sie auch Streiche ausgeheckt?
☞ Können Sie sich daran erinnern, wie sie einmal von den Eltern bestraft wurden?
☞ Welche Spiele haben Sie gespielt?
(Verstecken, Räuber und Gendarm, …)

Liederraten   *Die Liederanfänge nennen oder auch summen, bei Erraten eventuell Weitersingen.*

Ringlein, Ringlein . . . .   du musst wandern
Zeigt her Eure Füße . . . .   zeigt her eure Schuh
Ringel, ringel, reihe. . . . .   sind der Kinder dreie
Ein Männlein steht im . . . .   Walde, ganz still und stumm
Guter Mond, du gehst so . . . .   stille
Der Mond ist. . . . .   aufgegangen
Schlaf, Kindlein schlaf . . . .   der Vater hüt die Schaf
Fuchs, du hast die . . . .   Gans gestohlen
Alle meine . . . .   Entchen schwimmen auf dem See
Suse, liebe Suse, was . . . .   raschelt im Stroh
Hopp, hopp, hopp, Pferdchen . . . .   lauf Galopp
Weißt du wieviel . . . .   Sternlein stehen
Guten Abend, gut Nacht, mit . . . .   Rosen bedacht
Häschen in der Grube . . . .   saß und schlief
Maikäfer flieg . . . .   dein Vater ist im Krieg
Ri-ra-rutsch. . . . .   wir fahren mit der Kutsch'
Sum, sum sum, ...   Bienchen sum herum
Hänschen klein. . . . .   ging allein

Text hören (A)   **Clemens Brentano: Wiegenlied**

1. Singet leise, leise, leise,
   singt ein flüstern Wiegenlied,
   von dem Monde lernt die Weise,
   der so still am Himmel zieht.

2. Singt ein Lied so süß gelinde
   wie die Quellen auf den Kieseln,
   wie die Bienen um die Linde
   Summen, murmeln, flüstern, rieseln.

Aus: Das Buch der Gedichte. Deutsche Lyrik von den Anfängen bis zur Gegenwart. Bertelsmann, Gütersloh 1963, S. 423.

Text hören (B)

Heinrich Heine: Mein Kind, wir waren Kinder

1. Mein Kind, wir waren Kinder,
   zwei Kinder, klein und froh
   wir krochen ins Hühnerhäuschen,
   versteckten uns unter das Stroh.

2. Wir krähten wie die Hähne
   und kamen Leute vorbei –
   »Kikerekü!« sie glaubten,
   es wäre Hahnengeschrei.

3. Die Kisten auf unserem Hofe
   die tapezierten wir aus,
   und wohnten drin beisammen
   und machten ein vornehmes Haus.

4. Des Nachbars alte Katze
   kam öfters zu Besuch,
   wir machten ihr Bücklinge und Knickse
   und Komplimente genug.

5. Wir haben nach ihrem Befinden
   besorglich und freundlich gefragt,
   wir haben seitdem dasselbe
   mancher alten Katze gesagt.

6. Wir saßen auch oft und sprachen
   vernünftig, wie alte Leut,
   und klagten, wie alles besser
   gewesen zu unsrer Zeit,

7. wie Lieb und Treu und Glauben
   verschwunden aus der Welt,
   und wie so teuer der Kaffee
   und wie so rar das Geld! –

8. Vorbei sind die Kinderspiele,
   und alles rollt vorbei –
   das Geld und die Welt und die
   Zeiten und Glauben und Lieb und Treu.

Aus: Krolow, K. (Hrsg.): Deutsche Gedichte. Insel, Frankfurt/M. 1982.

Singen und sich bewegen

Der Butzemann
Das Lied – wenn möglich – gemeinsam singen und sich dazu bewegen.

☞ Es tanzt ein Bi-ba-butzemann in unserm Haus herum, bidebum
☞ Es tanzt ein Bi-ba-butzemann in unserem Haus herum.
  Dabei die Hände über dem Kopf zu einem Dreieck halten und sich leicht zur Melodie bewegen.
☞ Er schüttelt sich
  Hände auseinandernehmen, über den Kopf lassen und sie schütteln.
☞ Er rüttelt sich
  Arme nach unten nehmen, sie schütteln.
☞ Er wirft ein Säcklein hinter sich
  Pantomimisch die Bewegung nachmachen.
☞ Es tanzt ein Bi-ba-butzemann in unserm Haus herum
  Siehe Anfang.

(Aus: Enzensberger, H.M. (Hrsg.): Allerleirauh. Viele schöne Kinderreime. Suhrkamp, Frankfurt/M. 1972, S. 176)

Musik hören und sich bewegen

☞ Ich spiele Ihnen noch ein ruhiges Musikstück vor, wo Sie sich im Takt der Musik dazu wiegen können. Umfassen Sie mit den Händen Ihre Unterarme wiegen Sie die Arme und den ganzen Oberkörper zur Musik So können Sie zur Ruhe kommen.
LeiterIn macht die Bewegung vor, Co-LeiterIn gibt Hilfestellung.

Abschluss

Gemeinsames Singen des Schlussliedes (zum Beispiel »Die Vogelhochzeit«).

2.9 Kochen und Backen

Vorbereitung

Materialien

Gegenstand   Kochlöffel.

Lieder   Es klappert die Mühle am rauschenden Bach
                     (Backe, backe Kuchen,
                     Alte Küchenlieder)

MC/CD   In einer kleinen Konditorei

Sonstiges   Verschiedene Küchengeräte wie Schneebesen, Nudelholz, Reibe, Topflappen, Waage,
                     etc. zum Erkennen und Assoziieren.

Stundenübersicht

Einstieg   Begrüßung,
                     Durchreichen des Gegenstandes.

Hauptteil   Erkennen und Assoziieren,
                     Biografisches Arbeiten,
                     Regionale Speisen erinnern,
                     Assoziieren,
                     Texte hören:
                     (A)   »Kurze Suppenkunde« (Auszug) (Verserzählung von Eugen Roth),
                     (B)   Apfelküchlein ess` ich gern … (Vers von Fritz Immerfroh),
                     Singen,
                     Sprichwörter und Redewendungen ergänzen,
                     Sich bewegen,
                     Musik hören.

Abschluss   Gemeinsames Singen des Schlussliedes.

Gruppenstunde

Einstieg	Begrüßung, Durchreichen des Kochlöffels. ☞ Was macht man damit?

Hauptteil

Erkennen und Assoziieren	*Die verschieden Küchengeräte zeigen, erkunden lassen und nach ihrer Funktion fragen.*

Biografisches Arbeiten	☞ Können Sie kochen? *Diese Frage ist vorrangig an die männlichen Teilnehmer zu richten.* ☞ Können Sie backen? *(siehe Anmerkung oben)* ☞ Wo haben Sie kochen und backen gelernt? ☞ Macht Ihnen das Kochen und Backen Spaß oder sehen Sie es als Pflicht? ☞ Essen Sie etwas besonders gerne?

Regionale Speisen erinnern	*Den Anfang der Gerichte vorlesen und von der Gruppe ergänzen lassen.*

Linzer .... Torte,
Wiener .... Schnitzel (Würstchen),
Frankfurter Grüne................................. Soße,
Leipziger .... Allerlei,
Szegediner .... Gulasch,
Königsberger .... Klopse,
Schwarzwälder .... Kirschtorte.

Assoziieren	☞ Welche allgemeinen Zutaten benötigt man zum Kuchenbacken?
	  (Butter, Mehl, Backpulver, Hefe, Milch, Eier …)
	☞ Welche Speisen kann man aus Eiern herstellen?
	  (gekochtes Ei, Omelette, Spiegelei, Eierpfannkuchen, Soleier, …)
	☞ Welche Speisen für den Nachtisch kennen Sie?
	  (Eingemachtes oder frisches Obst, Pudding, Eis …)

Texte hören (A)	**Eugen Roth: Kurze Suppenkunde (Auszug)**

Leicht ändern stets sich die Geschmäcker:
Wer fände heute Suppen lecker,
Wie sie sich da und dort in alten
Speisezetteln noch, zum Glück, erhalten?
So gab' s schon dreizehnhundertdrei
Als erstes Suppe, fast nur Ei
Mit Pfeffer, Safran, Hirse, Honig –
Und wieder fänd in mancher Chronik
Man derart wunderliche Speisen,
Geschichtlich Suppen nachzuweisen.

Die Bauern füllten ihren Magen
Mit Fleisch nur an den Feiertagen;
Sonst gab es Suppen bloß und Brei,
Vielleicht noch Mehlspeis mancherlei
Doch meistens Hirs- und Hafergrütz
Bis dann bei uns der alte Fritz,
Wofür ihm sicher Dank gebührt,
Hat die Kartoffel eingeführt.
Wenn auch die Schlemmer sie erst lieben,
Falls man sie durch die Sau getrieben.

Aus: Das Schönste von Eugen Roth. Verserzählungen, Bd. 2. Weltbild, Augsburg 1994, S. 178f.

Text hören (B)

Apfelküchlein ess' ich gern,
jedoch mein Schatz und Augenstern,
mag so was nicht – nur Himbeertorte,
und das ist gar nicht meine Sorte.
Nun haben wir zu Kompromissen
Uns schluss- und endlich durchgebissen:
Bei Bäcker Bemsels Apfel-Himbeerschnitten,
da treffen wir uns in der Mitten.
Und so wir uns dann küssen,
Von Äpfeln, Himbeern wir und von unserer Liebe schmeckend wissen.

(Fritz Immerfroh: Quelle unbekannt)

Singen

Es klappert die Mühle am rauschenden Bach

Sprichwörter und Redewendungen ergänzen

Den Anfang des Sprichwortes oder der Redewendung vorlesen und von der Gruppe ergänzen lassen.

Der dümmste Bauer . . . hat die dicksten Kartoffeln.
Mit dem ist nicht gut . . . Kirschen essen.
In den sauren Apfel . . . beißen.
Mit Speck fängt man . . . Mäuse.
Trocken Brot macht . . . Wangen rot.
Alles hat ein Ende nur die . . . Wurst hat zwei.
Wie die Made im . . . Speck leben.
Das ist das Salz in der . . . Suppe.
Da bleibt einem der Bissen im . . . Halse stecken.
Jemanden fallen lassen wie eine . . . heiße Kartoffel.
Ein Haar in der . . . Suppe finden.
Es wird nichts so heiß gegessen, . . . wie es gekocht wird.
Hunger ist der beste . . . Koch.
Viele Köche . . . verderben den Brei.

Sich bewegen	*LeiterIn macht die Bewegungen vor, Co-LeiterIn gibt Hilfestellung.*

☞ Kochen und Backen kann anstrengend sein.
Vor allem wenn der Kuchenteig mit der Hand gerührt werden muss.

☞ Stellen Sie sich einmal vor, Sie würden gerade in einer Schüssel den Teig rühren und machen Sie die dazugehörige Bewegung.

☞ Machen Sie dieselbe Bewegung, als ob Sie einen Kuchen rühren würden, jetzt mit der anderen Hand und mit dem anderen Arm.

☞ Hefeteig muss geknetet werden. Stellen Sie sich vor, Sie würden einen Teig kneten machen Sie die dazugehörige Bewegung. Der Teig muss ordentlich durchgeknetet werden!

☞ Sie müssen noch Eiweiß schlagen! Erst mit der einen, dann mit der anderen Hand.

☞ Sie brauchen noch Zucker, Salz und Mehl. Es steht ganz oben im Küchenschrank. Sie müssen es herunterholen.
Mit der rechten Hand den Zucker, mit der linken Hand das Salz. Das Mehl ist sehr schwer, es muss mit beiden Händen gegriffen werden.

☞ Das Mehl kann wieder mit beiden Händen nach oben gestellt werden.

☞ Mit der linken Hand wird das Salz nach oben gestellt, mit der rechten der Zucker.

☞ Und wir können jetzt unsere Arme und Hände ausschütteln.

Musik hören	In einer kleinen Konditorei

Abschluss	Gemeinsames Singen des Schlussliedes (zum Beispiel »Die Vogelhochzeit«).

2.10 Luft

Vorbereitung

Materialien

Gegenstand
Ein nicht zu fest aufgeblasener Luftballon.

Lieder
In Mutters Stüble
(Das ist die Berliner Luft)

MC/CD
Es liegt was in der Luft
(Das ist die Berliner Luft)

Eventuell »L'air« von Bach für den Bewegungsteil.

Sonstiges
- Luftpumpe, Fächer, Strohhalm, Schälchen mit Wasser, Wattebällchen, Seifenblasen, Windrad, Pusteblume vom Löwenzahn (saisonbedingt) für den Wahrnehmungsteil.
- Eventuell großes Tuch für den Bewegungsteil.

Stundenübersicht

Einstieg
Begrüßung,
Durchreichen des Gegenstandes.

Hauptteil
Wahrnehmen und Assoziieren,
Wahrnehmen,
Singen,
Text hören:
      Was singt der Wind (Gedicht von James Krüss),
Musik hören,
Sich bewegen (mit Musik).

Abschluss
Gemeinsames Singen des Schlussliedes.

Gruppenstunde

Einstieg	Begrüßung, Herumreichen des Luftballons.

Hauptteil

Wahrnehmen und Assoziieren	☞ Wie sieht der Luftballon aus? ☞ Welche Farbe hat er? ☞ Haben Sie schon mal einen Heißluftballon gesehen? ☞ Was ist in dem Ballon? ☞ Wozu brauchen wir die Luft?

Wahrnehmen	Luft aus der Luftpumpe: *LeiterIn erzeugt mit der Luftpumpe Luft und geht zu jeder/jedem TeilnehmerIn, und pumpt ihr/ihm auf die Handflächen Luft.* ☞ Wie fühlt sich das an? Luft mit einem Fächer erzeugen: *LeiterIn zeigt, wie man sich mit einem Fächer Luft zu wedelt. Jede/jeden TeilnehmerIn selbst probieren lassen. Eventuell beim Fächern Hilfestellung geben.* ☞ Fühlt sich das eher angenehm oder unangenehm an? Wattepusten: *LeiterIn legt ein Wattebällchen auf den Tisch und zeigt, wie es sich bewegt wenn er/sie pustet. Jede/jeden TeilnehmerIn probieren lassen.* Seifenblasen, Pusteblume, Windrad: *Luft bringt etwas in Bewegung. Die TeilnehmerInnen selbst probieren lassen und Hilfestellungen geben* Mit dem Strohhalm Luft in Wasser pusten: *LeiterIn macht es vor. Miteinander schauen und hören, was passiert*

Singen	In Mutters Stübele

Text hören	**James Krüss: Was singt der Wind**

1. Was singt der Wind,
   Was singt der Wind
   In Telegrafendrähten?
   Muss fort geschwind,
   Mein Kind, mein Kind
   Ich darf mich nicht verspäten!

2. Was singt der Wind,
   Was singt der Wind
   In den Kastanienkronen?
   Wär ich nicht drauß
   Im Feld zu Haus,
   Möcht ich in Kronen wohnen!

3. Was singt der Wind,
   Was singt der Wind
   Am Bachesrand im Röhricht?
   Wer sich nicht wiegt,
   Wer sich nicht biegt,
   Der bricht, und der ist töricht.

4. Was singt der Wind,
   Was singt der Wind
   Am Abend in den Bäumen?
   Schlaf ein, mein Kind,
   Geschwind, geschwind,
   Und mögst du friedlich träumen!

Aus: Mein erstes Vorlesebuch vom Herbst. Aus: Der wohltemperierte Leierkasten. Bertelsmann, München 1961, S. 65f.

Musik hören

Es liegt was in der Luft

Sich bewegen (mit Musik)

☞ Ich habe ein großes Tuch mitgebracht. Jeder kann ein Ende in die Hand nehmen. *Hilfestellung geben.* Ich lege den Ballon darauf. Wir versuchen gemeinsam so das Tuch zu bewegen, dass der Ballon nicht hinunterfällt. *Dazu eventuell »l'air« auflegen.*

Alternative:
Es kann auch Spaß machen, einfach so, ohne Tuch, sich den Luftballon zuzuschlagen. Auch können mehrere Luftballons zum Einsatz kommen, beziehungsweise, diese an einer Schnur festgebunden oder zusammen verknotet werden.

Abschluss

Singen des Schlussliedes (zum Beispiel »Die Vogelhochzeit«).

2.11 Musik

Materialien

Gegenstand   Mundharmonika (Blockflöte).

Lieder   Ich bin ein Musikante
(Ich weiß nicht, was soll es bedeuten,
Unser kleines Orchester)

MC/CD   Alte Schlager, die Musik zum Thema haben, zum Beispiel:
Wir machen Musik
(Man müsste Klavier spielen können,
Hein spielt so schön auf dem Schifferklavier)

Marschmusik, zum Beispiel »Bayrischer Defiliersmarsch« Für den Bewegungsteil.

Sonstiges   Rhythmusinstrumente für den Rhythmusteil.

Stundenübersicht

Einstieg   Begrüßung,
Durchreichen des Gegenstandes.

Hauptteil   Biografisches Arbeiten,
Liederraten,
Pantomime: Musikinstrumente erkennen,
Texte hören:
(A)   Wer die Musik sich erkiest (Gedicht, unbekannter Verfasser),
(B)   Die Bremer Stadtmusikanten (Gedicht von Manfred Hausmann),
Singen,
Sprichwörter und Redewendungen ergänzen,
Musik hören und Rhythmus begleiten,
Musik hören.

Abschluss   Gemeinsames Singen des Schlussliedes.

Gruppenstunde

Einstieg

Begrüßung,
Durchreichen der Mundharmonika.

Hauptteil

*Biografisches
Arbeiten*

☞ Spielt jemand von Ihnen ein Instrument?

☞ Wurde in Ihrer Familie musiziert?

☞ Haben Sie viel gesungen?

☞ Zu welchen Anlässen haben Sie gesungen?

☞ Waren Sie Mitglied im Gesangverein, im Chor?

☞ Welche Musik hören Sie am liebsten? Volksmusik, Operetten, …?

☞ Haben Sie einen Lieblingssänger, eine Lieblingssängerin?

☞ Haben Sie ein Lied, das Sie sehr gerne hören oder singen?
   Es darf gesungen werden!

Liederraten

LeiterIn summt oder nennt die Liederanfänge, bei Erraten eventuell weitersingen:

Du, du liegst mir im............................	Herzen
Muss i denn, muss i denn zum Städele..............	hinaus
Ein Heller und ein...............................	Batzen
Im schönsten.................................	Wiesengrunde
Nun ade, du mein lieb...........................	Heimatland
Am Brunnen.....................................	vor dem Tore
Das Wandern ist des Müllers	Lust
Ein Jäger aus..................................	Kurpfalz
Horch, was kommt von draußen....................	rein
Und in dem....................................	Schneegebirge
Kein schöner Land in dieser	Zeit
Sah ein Knab ein Röslein	stehn
Wenn alle Brünnlein.............................	fließen
Lustig ist das	Zigeunerleben
Kommt ein Vogel................................	geflogen
Hoch auf dem gelben............................	Wagen
O, du lieber	Augustin
Wenn ich ein Vöglein	wär'

*Pantomime:
Instrumente
erkennen*

LeiterIn führt die Pantomime durch und die Gruppe soll versuchen, das jeweilige Musikinstrument zu erkennen:

Klavier = Auf dem Tisch oder in der Luft »Klavierspielen«.

Geige = Kopf leicht geneigt, mit einer Hand die »Geige« halten, mit der anderen den Bogen über die »Saiten«.

Flöte = »Flöte« mit beiden Händen halten, Mund spitzen und mit den Fingern auf die »Öffnungen der Flöte« und wieder loslassen.

Posaune = Eine Hand hält das »Instrument«, die andere Hand geht vor und zurück.

Mundharmonika	=	Beide Hände halten das »Instrument« nahe am Mund, Mund zum Blasen etwas spitz machen.
Schifferklavier	=	Rechte Hand bedient die »Tasten«, linke Hand zieht das »Instrument« auseinander und schiebt es wieder zusammen.
Gitarre/Mandoline	=	Finger der linken Hand bewegen sich am »Hals des Instruments«, mit der rechten Hand werden die »Saiten« angeschlagen.
Harfe	=	Beide Arme gehen weit nach vorne, mit den Fingern werden dann die »Saiten« von sich weg und zu sich hin gezupft.
Zither	=	Das »Instrument« steht »auf dem Tisch«, mit einer Hand werden die »Saiten« niedergedrückt, mit der anderen werden »Saiten« angeschlagen.
Trommel	=	In beiden Händen hält man einen »Stock« und schlägt abwechselnd rechts und links auf die »Trommel«.

Text hören (A)

Wer die Musik sich erkiest (anonym)

Wer die Musik sich erkiest,
Hat ein himmlisch Gut bekommen,
Denn ihr erster Ursprung ist
Von dem Himmel selbst genommen.
Wenn einst in der letzten Zeit
Alle Dinge wie Rauch vergehen,
Bleibet in der Ewigkeit
Doch die Musik noch bestehen,
Weil die Engel insgemein
Selbst Musikanten sein.

Aus: Das Buch der Gedichte. Deutsche Lyrik von den Anfängen bis zur Gegenwart. Bertelsmann, Gütersloh 1963, S. 650.

Text hören (B)

Manfred Hausmann: Die Bremer Stadtmusikanten

1. Ein Esel schwach und hochbetagt
   ein Hund von Atemnot geplagt
   Ein Katzentier mit stumpfem Zahn
   und ein dem Topf entwichener Hahn

2. Die trafen sich von ungefähr
   und rieten hin und rieten her
   Was sie wohl unternähmen,
   dass sie zu Nahrung kämen.

3. Ich Esel kann die Laute schlagen.
   Ich Hund will's mit der Pauke wagen.
   Ich Katze kann den Bogen führen.
   Ich Hahn will mit Gesang mich rühmen.

4. So kamen die denn überein,
   sie wollten Musikanten sein,
   und könnten's wohl auf Erden
   zuerst in Bremen werden.

5. Die Sonne sank, der Wind ging kalt,
   sie zogen durch den dunklen Wald.
   Da fanden sie ein Räuberhaus.
   Das Licht schien in die Nacht hinaus.

6. Der Esel sich leis ans Fenster stellte,
   Der Hund auf seinen Rücken schnellte
   Und auf den Hund die Katze wieder,
   Zuoberst ließ der Hahn sich nieder.

7. Das Räubervolk zu Tische saß,
   man schrie und lachte, trank und aß.
   Und plötzlich brach durchs Fenster
   der Sturm der Nachtgespenster

8. So gräßlich waren Bild und Ton
   dass die Kumpane je entflohn.
   Statt ihrer schmausten nun die Vier,
   Bezogen dann ihr Schlafquartier.

9. Ein Räuber doch mit schiefem Blick
   Schlich mitternachts ins Haus zurück,
   Um heimlich zu ergründen,
   Wie denn die Dinge stünden.

10. Die Katz' hat sein Gesicht zerrissen,
    sein linkes Bein vom Hunderbissen,
    sein Leib getroffen von den Hufen,
    Sein Herz erschreckt von wilden Rufen.

11. Er lief und lief durchs Dickicht quer,
    Als käm der Teufel hinterher.
    Da gab es bei den Tieren
    ein großes Jubilieren.

Aus: Hausmann, M.: Unterwegs. Altmodische Liebe. Bittersüß aus dunklem Krug. Gedichte aus den Jahren 1947–1982. S. Fischer, Frankfurt a.M. 1983.

Singen	Ich bin ein Musikante

Sprichwörter und Redewendungen ergänzen	*Den Anfang des Sprichwortes oder der Redewendung vorlesen und von der Gruppe ergänzen lassen:*

Wo man singt, ... da lass dich ruhig nieder.
Böse Menschen haben .... keine Lieder.
Ich habe Musik im .... Blut.
Er will immer die erste .... Geige spielen.
Heute hängt der Himmel voller .... Geigen.
Etwas in den höchsten Tönen...................... loben.
Er muss nach ihrer Pfeife .... tanzen.
Der Ton macht die .... Musik.
Singe, wem .... Gesang gegeben.
Jemanden den Marsch............................. blasen.

Musik hören und Rhythmus begleiten	*Marschmusik soll mit Rhythmusinstrumenten begleitet werden. LeiterIn zeigt TeilnehmerInnen die Instrumente und lässt sie aussuchen und ausprobieren und gegebenenfalls umtauschen.* *Der/die LeiterIn sollte das Musizieren ebenfalls begleiten, da sie auf diese Art und Weise als Vorbild dient. Co-LeiterIn gibt Hilfestellung.*

Musik hören	Wir machen Musik.

Abschluss	Gemeinsames Singen des Schlussliedes (zum Beispiel »Die Vogelhochzeit«).

2.12 Namen

Materialien

Gegenstand	Personalausweis/alten Ausweis.
Lieder	Ännchen von Tharau (O, du lieber Augustin, Wo mag denn nur mein Christian sein, Rosemarie)
MC/CD	Lilli Marleen (Wenn die Elisabeth, Komm auf die Schaukel, Luise, Oh, Donna Clara, Marianndl)
Musik	Zum Schunkeln, zum Beispiel »Rosamunde«.
Sonstiges	– Trommel mit Stöcken für die Rhythmusübung. – Buchstabenwürfel oder Buchstabenkarten zum Namenraten.

Stundenübersicht

Einstieg	Begrüßung, Durchreichen des Gegenstandes.
Hauptteil	Biografisches Arbeiten, Musik hören, Wahrnehmen, Namenraten, Biografisches Arbeiten, Text hören: Ein Gutachten (Gedicht von Theodor Storm), Rhythmus begleiten, Musik hören und Schunkeln.
Abschluss	Gemeinsames Singen des Schlussliedes.

Gruppenstunde

Einstieg	Begrüßung, Durchreichen des Personalausweises.

Hauptteil

Biografisches Arbeiten	☞ Wie heißen Sie mit vollem Namen? ☞ Wie war Ihr Mädchenname? ☞ Haben Sie mehrere Vornamen? Welche? ☞ Haben Sie einen Spitz- oder Kosenamen? ☞ Wie haben die Eltern Sie als Kind gerufen?
Musik hören	☞ Auch in Liedern tauchen Namen auf. Gemeinsames Anhören von zum Beispiel: »Lilli Marleen«.
Wahrnehmen	☞ Gefällt Ihnen Ihr Name? ☞ Gefällt Ihnen der Name Ihrer Nachbarin, Ihres Nachbarn? *LeiterIn stellt die Sitznachbarn aller TeilnehmerInnen mit Namen vor. Dieses Vorgehen fördert eine Kontaktaufnahme der TeilnehmerInnen untereinander.*
Namenraten	*Buchstabenwürfel wird reihum gewürfelt, beziehungsweise die Buchstabenkarten werden gezogen und gemeinsam überlegt die Gruppe, welche Frauen- und Männernamen mit dem betreffenden Buchstaben anfangen.*
Biografisches Arbeiten	☞ Wissen Sie noch, wo Sie getauft worden sind? ☞ Wissen Sie noch, wer Ihre Paten waren?
Text hören	**Theodor Storm: Ein Gutachten** Bedenk es wohl, eh' du sie taufst! Bedeutsam sind die Namen; Und fasse mir dein liebes Bild Wohl in den rechten Rahmen. Denn ob der Nam den Menschen macht, Ob sich der Mensch den Namen, Das ist, weshalb mir oft, mein Freund, Bescheidne Zweifel kamen; Eins aber weiß ich ganz gewiß, Bedeutsam sind die Namen! So schickt für Mädchen Lisbeth sich, Elisabeth für Damen; Auch fing sich oft ein Freier schon, Dem Fischlein gleich am Hamen, An einem ambraduftigen, Klanghaften Mädchennamen. *Aus: Bernhard, M. (Hrsg.): Sag es in Versen. Gondrom, Blindlach 1995, S. 155.*

Rhythmus	☞ Wie in dem Gedicht gesagt, hat jeder Name einen eigenen Klang. Namen kann man unterschiedlich betonen, zum Beispiel der Name Sofie. Ich möchte mit Ihnen zu jedem Namen einen Rhythmus auf der Trommel schlagen, der Ihnen gerade einfällt. Ich mache es einmal vor: *LeiterIn spielt ihren/seinen Vornamen auf der Trommel und spricht dazu den Namen im gleichen Takt. Den ganzen Vorgang wiederholen und die TeilnehmerInnen dazu auffordern, mit zu klatschen. Anschließend reihum jede/jeden TeilnehmerIn ermutigen, ihren/seinen Namen auf der Trommel zu spielen.* *LeiterIn und Co-Leiterin geben Hilfestellung.*
Musik hören und Schunkeln	»Rosamunde« hören und dazu schunkeln.
Abschluss	Gemeinsames Singen des Schlussliedes (zum Beispiel »Die Vogelhochzeit«).

2.13 Sonn- und Feiertage

Vorbereitung

Materialien

Gegenstand Kirchliches Gesangbuch (Bibel, Familienfotografie von einem festlichen Anlass, zum Beispiel mit einer Kaffeetafel).

Lieder So ein Tag, so wunderschön wie heute
(Kein schöner Land)

MC/CD Wochenend und Sonnenschein (zum Beispiel gesungen von den Comedian Harmonists)
(Alle Tage ist kein Sonntag)
(Am Sonntag will mein Süßer mit mir Segeln gehen)

Sonstiges Zutaten für die Zubereitung eines »Kuchens«, der nicht gebacken werden muss:
Eine Packung Löffelbiskuits (200g), eine große Tasse kaltgewordener, starker, gesüßter Kaffee, 400g Dessertcreme Vanillegeschmack (gibt es fertig zu kaufen), Kakaopulver oder Zimtzucker zum Bestreuen. Außerdem zwei größere Brettchen, Kuchengabeln oder Teelöffel für die GruppenteilnehmerInnen, ein Messer und einen großen Löffel, Kuchenteller in Anzahl der TeilnehmerInnen.
Kerze zur Betonung der festlichen Stimmung.
Nach Anzahl der TeilnehmerInnen genügend Kaffee in Thermoskannen, Zucker, Süßstoff, Milch und Tassen. Eventuell eine Kerze und Feuerzeug.
Es sollte möglich sein, den »Kuchen« für mindestens 15 Minuten zu kühlen und durchziehen zu lassen.
Auf DiabetikerInnen achten! (Mengenangabe für 10 Personen)
Alternative: Gebäck und nach TeilnehmerInnenzahl genügend Kaffee, Süße, Milch und Tassen.

Stundenübersicht

Einstieg Begrüßung,
Durchreichen des Gegenstandes.

Hauptteil Biografisches Arbeiten,
Zubereiten von einem »Kuchen«,
Assoziieren,
Singen,
Texte hören:
(A) Ein schöner Tag (Kann zu der Melodie von »Amazing Grace« gesungen werden),
(B) Sonntag (Gedicht von Joseph von Eichendorff),
Kaffeetrinken und Kuchen (Gebäck) probieren,
Musik hören.

Abschluss Gemeinsames Singen des Schlussliedes.

Gruppenstunde

Einstieg	Begrüßung, Durchreichen des Gesangbuches. ☞ Wo gibt es Gesangbücher?

Hauptteil

Biografisches *Arbeiten*	☞ Sind Sie sonntags oft in die Kirche gegangen? ☞ Sind Sie auch mal zum »Frühschoppen« gegangen? (*Frage an die Männer*) ☞ Haben Sie sich am Wochenende Fußballspiele angeschaut? (*siehe Anmerkung oben*) ☞ Hatten Sie ein Sonntagskleid, einen Sonntagsanzug? ☞ Können Sie sich noch an eine Sonntagskleidung erinnern? ☞ Bekamen Sie Sonntags Besuch oder besuchten Sie zum Beispiel Ihre Verwandten? ☞ Gab es Sonntagmittag etwas Besonderes zu essen? Was? ☞ Wurde am Nachmittag auch immer Kaffee getrunken und Kuchen gegessen?
Kuchen zubereiten	☞ Wir möchten mit Ihnen auch eine Art Kuchen zubereiten. Dafür haben wir Löffelbiskuits mitgebracht, die wir hintereinander auf diese Brettchen legen. Dann werden sie mit kaltem Kaffee getränkt. Dazu taucht man einen Löffel in den Kaffee und gibt den Kaffee über die Biskuits. Möchte jemand von Ihnen das übernehmen? (*Die Biskuits müssen gut getränkt sein.*) ☞ Anschließend wird diese Creme zur Hälfte gleichmäßig über den Biskuit verteilt. Das geht am besten mit einem Messer. Wer möchte das übernehmen? ☞ Als Zierde streuen wir mit einem Teelöffel etwas Kakao (oder Zimtzucker) darüber und stellen das ganze für eine Weile kühl: *LeiterInnen geben Hilfestellung bei allen Arbeitsschritten.*
Assoziieren	☞ Was unterscheidet den Sonntag von den übrigen Wochentagen? (Man hat für gewöhnlich frei, muss nicht zur Arbeit, die Familie ist zusammen) ☞ Manchmal gibt es auch einen »Sonntag« mitten in der Woche. Wann ist das der Fall? (An Feiertagen) ☞ Welche Feiertage gibt es im Frühjahr? (Ostern, Pfingsten, Christi Himmelfahrt, Fronleichnam) ☞ Welche Feiertage gibt es im Winter? (Weihnachten, Neujahr)
Singen	So ein Tag, so wunderschön wie heute
Texte hören (A)	**Ein schöner Tag (anonym)**

1. Ein schöner Tag ward uns beschert,
   wie es nicht viele gibt.
   Aus reiner Freude ausgefüllt,
   Von Sorgen ungetrübt.

2. Mit Lieder, die die Lerche singt,
   so fing der Morgen an.
   Die Sonne schenkte goldnen Glanz
   dem Tag der dann begann.

3. Ein schöner Tag voll Harmonie
   Ist wie ein Edelstein,
   der strahlt dich an und ruft dir zu
   heut sollst du glücklich sein.

4. Und was das Schicksal dir auch bringt,
   Was immer kommen mag,
   Es bleibt dir die Erinnerung
   An einen schönen Tag.

Texte hören (B)

Joseph von Eichendorff: Sonntag

Weit in das Land die Ström ihr Silber führen,
Fern blau Gebirge duftig hingezogen,
Die Sonne scheint, die Bäume sanft sich rühren,
Und Glockenklang kommt auf den linden Wogen;
Hoch in dien Lüften Lerchen jubilieren,
Und, so weit klar sich wölbt des Himmels Bogen,
Von Arbeit ruht der Mensch rings in die Runde,
Atmet zum Herrn auf aus Herzensgrunde.

Aus: Rasch, W. (Hrsg.): Joseph von Eichendorff. Werke in einem Band. Deutscher Taschenbuch Verlag; München 1995, S. 254.

Kaffee trinken und Kuchen (Gebäck) probieren

☞ Zum Sonntag gehört Kaffee und Kuchen (Gebäck).
Aufschneiden des Kuchens – am besten dafür das Messer für jeden neuen Schnitt in kaltes Wasser tauchen – verteilen und Kaffee ausschenken.
Eventuell Kerze anzünden.

Musik hören

Wochenend und Sonnenschein

Abschluss

Gemeinsames Singen des Schlussliedes (zum Beispiel »Die Vogelhochzeit«).

2.14 Tanz

Vorbereitung

Materialien

Gegenstand Tanzschuh (Schallplatte, Bild von einem tanzenden Paar).

Lieder Heißa Kathreinerle
(Tanz rüber, tanz nüber,
Lass doch der Jugend ihren Lauf,
Wenn die Bettelleute tanzen,
Widele, wedele)

MC/CD Ich tanze mit dir in den Himmel hinein
(Wein, Weib und Gesang,
Schöner Gigolo,
Tanze mit mir in den Morgen,
allgemein Walzermusik)

Musik zum Schunkeln, zum Beispiel »Wiener Blut«.

Eine Polka für die Rhythmusübung.

Sonstiges Rhythmusinstrumente für die Rhythmusbegleitung.

Stundenübersicht

Einstieg Begrüßung,
Durchreichen des Gegenstandes.

Hauptteil Assoziieren,
Biografisches Arbeiten,
Singen,
Musik hören und Schunkeln,
Rhythmus wahrnehmen,
Text hören:
      Erste Schritte (zwei Kinderreime),
Rhythmus begleiten,
Musik hören.

Abschluss Gemeinsames Singen des Schlussliedes.

Gruppenstunde

Einstieg	Begrüßung, Durchreichen und Betrachten des Tanzschuhs.

Hauptteil

Assoziieren	☞ Wozu trägt man einen solchen Schuh? ☞ Wie sieht die passende Kleidung zum Tanzen aus? ☞ Der Walzer ist wohl der bekannteste Tanz. Welche anderen Tänze kennen Sie noch? (Rumba, Polka, Polonaise, Rheinländer, Zwiefacher, Dreher, Tango, Charleston, Foxtrott)
Biografisches Arbeiten	☞ Sind Sie in Ihrer Jugend zum Tanzen gegangen? ☞ Haben Sie einen Lieblingstanz? ☞ Wann gab es Gelegenheiten zum Tanzen? (Mai, Hochzeit, Kirchweih …) ☞ Wo haben Sie tanzen gelernt? Wer hat Ihnen das Tanzen beigebracht? ☞ Gab es einen Abschlussball in der Tanzschule? ☞ Mit wem haben Sie getanzt? ☞ War Ihr Mann/Ihre Frau ein guter Tänzer, eine gute Tänzerin? ☞ Können Sie sich noch an ein Tanzkleid/Anzug erinnern? (Farbe, Stoff, Schnitt)
Singen	Heißa Kathreinerle
Musik hören und Schunkeln	*Zum Beispiel die Melodie »Wiener Blut« anspielen, erkennen lassen, dann die Gruppe an den Händen fassen lassen und schunkeln.*
Rhythmus begleiten	Bei Veranstaltungen spielte früher eine Kapelle zum Tanz auf. Die mitgebrachten Instrumente können eingesetzt werden, eine Polka zu begleiten. *LeiterIn läßt jede/jeden TeilnehmerIn ein Instrument auswählen, ausprobieren und gegebenenfalls umtauschen, legt die Polkamusik auf und macht mit beim gemeinsamen Musizieren. Co-LeiterIn gibt Hilfestellung.*
Text hören	Tanz, Bärbelchen, tanz! Ach Mutter, ich hab keine Schu. Nur barfuß dran, nur barfuß dran, Wer will dir denn was tun?

Trommel auf den Bauch,
Hast einen schweren Ranzen:
Kannst Du erst auf Stelzen gehn,
so kannst Du auch bald tanzen

Aus: Enzensberger, H.M. (Hrsg.): Allerleirauh. Viele schöne Kinderreime. Suhrkamp, Frankfurt/M. 1972, S. 20.

Musik hören	Ich tanze mit dir in den Himmel hinein
Abschluss	Gemeinsames Singen des Schlussliedes (zum Beispiel »Die Vogelhochzeit).

2.15 Tiere

Vorbereitung

Materialien

Gegenstand	Stofftier – möglichst Hund oder Katze oder ein anderes gut bekanntes Tier.
Lieder	Wenn ich ein Vöglein wär' (Kommt ein Vogel geflogen, Vöglein im hohen Baum, Der Kuckuck und der Esel, Miau, miau, hörst Du mich schreien)
MC/CD	So ein Regenwurm hat's gut

Stundenübersicht

Einstieg	Begrüßung, Durchreichen des Gegenstandes.
Hauptteil	Biografisches Arbeiten, Singen, Assoziieren, Texte hören: (A) Im Park (Gedicht von Joachim Ringelnatz), (B) Das Quartett (Geschichte von Iwan Krylow), Assoziieren, Redewendungen ergänzen, Rhythmus begleiten, Musik hören.
Abschluss	Gemeinsames Singen des Schlussliedes.

Gruppenstunde

Einstieg	Begrüßung, Durchgeben des Stofftiers.

Hauptteil

Biografisches *Arbeiten*	☞ Mögen Sie Tiere? ☞ Haben Sie ein Lieblingstier? ☞ Hatten Sie früher ein Haustier? ☞ Hatte es einen Namen? ☞ Was hat es gefressen? ☞ Hatten Sie auch Nutz- oder Stalltiere?
Lied	Wenn ich ein Vöglein wär'

Assoziieren	☞ Welches Tier gibt Speck?
	   (Schwein)
	☞ Welches Tier gibt Wolle?
	   (Schaf)
	☞ Welches Tier kommt in die Suppe?
	   (Huhn, Rind)
	☞ Von welchen Tieren gewinnt man Leder?
	   (Schwein, Rind, Kalb)
	☞ Welche Tiere werden für Martini oder Weihnachten gemästet?
	   (Gänse)
	☞ Welche Tiere leben im Wald?
	   (Rehe, Hirsche, Vögel, Eichhörnchen, Dachs …)

Text hören (A)	**Joachim Ringelnatz: Im Park** Ein kleines Reh stand am ganz kleinen Baum Still und verklärt wie im Traum Das war des Nachts elf Uhr zwei und dann kam ich um vier morgens wieder vorbei. Und träumte noch immer das Tier. Nun schlich ich mich leise – ich atmete kaum – Gegen den Wind an den Baum, Und gab dem Reh einen kleinen Stips. Und es war aus Gips. *Aus: Ringelnatz, J.: Sämtliche Gedichte. Diogenes, Zürich 1997.*

Text hören (B)

Iwan Krylow: Das Quartett

Ein übermütiges Äffchen, ein Esel, eine Ziege und ein tolpatschiger Bär beschlossen eines Tages, im Quartett zu spielen. Sie besorgten sich Noten, eine Baßgeige, eine Viola und zwei Geigen und waren nun bereit, die Welt mit ihrer Kunst zu entzücken. Sie setzten sich unter den Lindenbäumen auf der Wiese nieder und begannen ihr Spiel. Sie fiedelten, sie kratzten, sie strichen mit ihren Bögen über die Saiten – doch ganz vergebens. »Hört auf, Freunde, hört auf!« schrie das Äffchen. »Wartet einen Augenblick! Ihr sitzt alle falsch, so wird nie etwas aus unserer Musik. Du, Bär, setz dich mit deiner Baßgeige gegenüber der Viola nieder, und ich, die erste Geige, will mich zu der zweiten Geige setzen. Dann erst wird unsere Musik vollkommen sein, und die Bäume im Wald und alle Hügel werden zu unserem Spiel tanzen.«

Das Äffchen, der Esel, die Ziege und der Bär setzten sich also einander gegenüber auf und begannen ihr Quartett. Sie fiedelten, sie kratzten, sie strichen mit ihren Bögen über die Saiten – es war ein Lärm, der den geduldigsten Zuhörer hätte vertreiben können.

»Wartet«, schrie der Esel, »ich weiß, was wir tun müssen. Wir müssen in einer Reihe sitzen!«

So setzten sie sich also feierlich in einer Reihe auf, aber das Quartett klang immer noch nicht gut. Da fingen die vier zu streiten und zu zanken an und konnten nicht einig werden, wer neben wem sitzen sollte. Eine Nachtigall hörte den Lärm und flog neugierig näher. Das Quartett wandte sich nun an den Vogel und bat ihn um seinen Rat.

»Verehrteste Nachtigall«, sagten sie, »gedulde dich eine Stunde und bringe unser Quartett in Ordnung. Wir haben Noten, und wir haben die Instrumente. Sag uns nun, wie wir sitzen müssen, dass es schön klingt.«

Die Nachtigall antwortete: »Um Musiker zu sein, müßt ihr zuerst wissen, wie man ein Instrument spielt, und feinere Ohren, als ihr sie habt, sind dazu nötig. Ihr, meine Freunde, könnt euch setzen, wie ihr wollt, eure Musik wird nie etwas wert sein.«

Aus: Meine schönsten Märchen u. Tiergeschichten. Lizenzausg. Für Manfred Pawlak Verlagsgesellschaft Wien: © Carl Ueberreuter o.J., S. 228.

Assoziieren

☞ Welche Vogelarten kennen Sie?
(Spatz, Amsel, Meise, Rotkehlchen, Adler …)
☞ Welche ganz kleinen Tiere gibt es, die im Garten und Wald einen Bau haben?
(Ameise, Bienen)
☞ Welche Tiere machen beim Graben in der Erde kleine Hügel?
(Maulwurf)
☞ Welche kleinen Tiere lockern den Garten auf? – Sie sind für Vögel ein richtiger Leckerbissen und zum Angeln benutzt man sie als Köder.
(Regenwurm)

Redewendungen ergänzen

☞ Manchen Tieren werden bestimmte Eigenschaften zugeschrieben.
Zum Beispiel sagt man »fleißig wie die Bienen« oder »geschmeidig wie eine Katze«.

LeiterIn nennt jeweils den Anfang der Redewendung und die TeilnehmerInnen sollen versuchen, sie zu vervollständigen.

Störrisch wie ein.. Esel.
Schlau wie ein .... Fuchs.
Eitel wie ein .... Pfau.
Stark wie ein .... Bär.
Scheu wie ein.. Reh.
Mutig wie ein.. Löwe.

Geduldig wie ein . . . . Schaf.

Fromm wie ein . . . . Lamm.

Weise wie eine . . . . Eule.

Fleißig wie die . . . . Bienen.

Flink wie ein . . . . Wiesel.

Frech wie ein . . . . Spatz.

Stumm wie ein . . . . Fisch.

Diebisch wie eine . . . . Elster.

Sanft wie die . . . . Tauben.

Falsch wie eine . . . . Schlange.

Hungrig wie ein . . . . Wolf.

Wenn jemand gut hört sagt man, er hat Ohren wie ein . . . . . Luchs.

Wenn jemand gut sieht spricht man von Adler . . . . augen.

Manche meckern wie eine . . . . Ziege.

Brüllen wie ein . . . . Stier.

Schnattern wie die . . . . Gänse.

Turteln wie die . . . . Tauben.

Singen wie eine . . . . Nachtigall.

Quaken wie ein . . . . Frosch.

Musik hören
So ein Regenwurm hat' s gut
Während des Refrains kann in die Hände geklatscht werden.

Abschluss
Gemeinsames Singen des Schlussliedes (zum Beispiel »Die Vogelhochzeit«).

2.16 Wald

Materialien

Gegenstand Körbchen mit Tannen- oder Kiefernzapfen, Eicheln, künstlichen oder essbaren Pilzen, Moos, Wurzeln, kleine Tannenzweige und sonstige Dinge, die im Wald zu finden sind.

Lieder Ein Jäger aus Kurpfalz,
O du schöner Westerwald,
(Im Wald und auf der Heide,
Im grünen Wald,
Es blies ein Jäger wohl in sein Horn,
Waldeslust,
Auf zum fröhlichen Jagen)

MC/CD Jagdhornklänge

Stundenübersicht

Einstieg Begrüßung,
Durchreichen des Gegenstandes.

Hauptteil Biografisches Arbeiten,
Text hören:
Gefunden (*Gedicht von J. W. v. Goethe*),
Assoziieren,
Singen,
Jagdhornklänge hören,
Assoziieren,
Singen,
Sich bewegen.

Abschluss Gemeinsames Singen des Schlussliedes.

Gruppenstunde

Einstieg

Begrüßung,
Durchgeben des Körbchens,
Erkunden lassen der einzelnen Dinge.
☞ Wo gibt es alle diese Dinge?

Hauptteil

Biografisches
Arbeiten

☞ Mögen Sie den Wald?
☞ Gehen Sie gerne im Wald spazieren?
☞ Sind Sie auch manchmal in den Wald gegangen, um Dinge zu sammeln?
 (Holz, Pilze, Bucheckern, die zu Kriegszeiten abgegeben wurden, um Öl daraus zu machen, Nüsse, Beeren ....)

Text hören

Johann Wolfgang von Goethe: Gefunden

1. Ich ging im Walde
 So für mich hin,
 Und nichts zu suchen,
 Das war mein Sinn

2. Im Schatten sah ich
 Ein Blümlein stehn,
 Wie Sterne leuchtend,
 Wie Äuglein schön.

3. Ich wollt es brechen,
 Da sagt' es fein:
 »Soll ich zum Welken
 Gebrochen sein?«

4. Ich grub's mit allen
 Den Würzlein aus,
 Zum Garten trug ich's
 Am hübschen Haus.

5. Und pflanzt es wieder
 Am stillen Ort;
 Nun zweigt es immer
 Und blüht so fort.

Aus: Krolow, K. (Hrsg.): Deutsche Gedichte. Insel, Frankfurt/M. 1982, S. 228.

Assoziieren

☞ Welche Waldtiere kennen Sie?
 (Rehe, Hirsche, Hasen, Eichhörnchen, Specht ...)
☞ Welche Beeren kann man im Wald sammeln?
 (Walderdbeeren, Brombeeren, Himbeeren, Schlehen)
☞ Kennen Sie auch die unterschiedlichen Pilzsorten?
 (Champignons, Steinpilze, Braunkappen)
☞ Welche Tiere werden gejagt?
 (Rehe, Hirsche, Fuchs, Wildschweine)

Singen

Ein Jäger aus Kurpfalz

Jagdklänge hören

☞ Wenn eine größere Jagd stattfindet, wird ein bestimmtes Instrument geblasen – das Jagdhorn.
 Jagdklänge zum gemeinsamen Anhören vorspielen.

Assoziieren	☞ Neben dem Jäger gibt es noch andere Berufe, die mit dem Wald zu tun haben. ☞ Wer arbeitet noch im Wald? (Waldarbeiter, Holzfäller, Förster, …) ☞ Welche Arbeit fällt im Wald an? (Bäume fällen und pflanzen, Tiere füttern …) ☞ Es gibt einige große Waldgebiete, die einen Namen tragen. Welchen Wald kennen Sie? (Schwarzwald, Frankenwald, Bayerischer Wald, Steigerwald, Westerwald. Hier können von den TeilnehmerInnen auch regional bekannte Waldgebiete genannt werden.)

Singen	O du schöner Westerwald

Sich bewegen	*LeiterIn beschreibt die Situation und macht die dazugehörige Bewegung vor. Co-LeiterIn sollte Hilfestellung geben:* **Im Wald** ☞ Wir gehen durch den Wald. *Auf der Stelle gehen/stampfen.* ☞ Wir schieben einen herabhängenden Ast zur Seite. *Mit der Hand greifen und wegdrücken.* ☞ Wir pflücken Beeren. *Nach unten bücken und mit den Händen greifen.* ☞ Wir lauschen den Vogelstimmen. *Eine Hand hinters Ohr legen, Oberkörper etwas nach vorn strecken.* ☞ Wir klettern auf den Hochsitz. *Mit den Händen abwechselnd rechts und links nach oben greifen.* ☞ Wir schauen durchs Fernrohr. *Mit den Händen zwei Kreise vor den Augen formen, Kopf nach beiden Seiten drehen.* ☞ Wir legen das Gewehr an. *Ein Arm gestreckt, mit der anderen Hand am Abzug.* ☞ Wir steigen wieder herunter vom Hochsitz. *Mit den Händen rechts und links abwechselnd nach unten greifen.* ☞ Wir sägen. *Eine Hand hält das Holz, die andere führt die Säge und bewegt sich vor und zurück.* ☞ Wir hacken Holz. *Beide Arme verschränkt hinter den Kopf, mit Schwung nach vorn führen.* ☞ Wir schneiden Pilze. *Eine Hand führt das Messer, die andere sammelt die Pilze ein.* ☞ Wir gehen wieder aus dem Wald heraus. *Auf der Stelle gehen.*

Abschluss	Gemeinsames Singen des Schlussliedes (zum Beispiel »Die Vogelhochzeit«).

2.17 Wandern

Vorbereitung

Materialien

Gegenstand	Wanderstock (Gehstock).
Lieder	Das Wandern ist des Müllers Lust (Mein Vater war ein Wandersmann, Auf, du junger Wandersmann, Wem Gott will rechte Gunst erweisen, Aus grauen Städte Mauern, Ein Sträußchen am Hute, Wer recht mit Freuden wandern will)
MC/CD	Wozu ist die Straße da (Wer recht mit Freuden wandern will)

Stundenübersicht

Einstieg	Begrüßung, Durchreichen des Gegenstandes.
Hauptteil	Biografisches Arbeiten, Singen, Assoziieren, Text hören: 　　Zwei Heimgekehrte *(Gedicht von Anastasius Grün)*, Musik hören und sich bewegen.
Abschluss	Gemeinsames Singen des Schlussliedes.

Gruppenstunde

Einstieg Begrüßung,
Durchgeben des Wanderstocks.

Hauptteil

Biografisches ☞ Haben oder hatten Sie auch einen solchen Wanderstock?
Arbeiten ☞ Sind Sie viel gewandert?
☞ Waren Sie in einem Wanderverein?
☞ Wo sind Sie gewandert? (Berge, oder bekannte Ausflugsziele vorgeben)
☞ Hatten Sie eine spezielle Wanderkleidung?
☞ Haben Sie beim Wandern gesungen? Was haben Sie gesungen?

Genanntes Lied wenn möglich aufgreifen zum gemeinsamen Singen, oder ein anderes Wanderlied, wie zum Beispiel:

Singen Das Wandern ist des Müllers Lust

Assoziieren Außer dem Wanderstock kann man noch andere Dinge zum Wandern mitnehmen:
☞ Was braucht man, um den Weg zu finden?
(Landkarte, Kompass)
☞ Was nimmt man gegen Regen mit?
(Regenjacke, Regenhut …)
☞ Und was nimmt man gegen den Hunger und Durst mit?
(Belegte Brote, Tee, Bonbons)
☞ Was zieht man zum Wandern an?
(Feste Schuhe, Kniebundhosen, Jacke, Hut …)

Text hören **Anastasius Grün: Zwei Heimgekehrte**

1. Zwei Wanderer zogen hinaus zum Tor,
Zur herrlichen Alpenwelt empor.
Der eine ging, weil's Mode just,
Den andern trieb der Drang in der Brust.

2. Und als daheim nun wieder die zwei,
Da rückt die ganze Sippe herbei,
Da wirbelt's von Fragen ohne Zahl:
»Was habt ihr gesehen? Erzählt einmal!«

3. Der eine drauf mit Gähnen spricht:
»Was wir gesehn? Viel Rares nicht!
Ach, Bäume, Wiesen, Bach und Hain,
und blauen Himmel und
Sonnenschein.«

4. Der andere lächelnd dasselbe spricht,
Doch leuchtenden Blicks, verklärtem Gesicht:
»Ei, Bäume, Wiesen, Bach und Hain,
und blauen Himmel und
Sonnenschein.«

Aus: Bernhard, M. (Hrsg.): Sag es in Versen. Gondrom, Bindlach 1995, S. 232.

Musik hören und sich bewegen	*LeiterIn spielt das Lied »Wozu ist die Straße da« vor oder sucht ein anderes Wanderlied aus und macht Bewegungen zum Mitmachen vor:*

- Abwechselnd mit dem linken, dann mit dem rechten Bein auf den Boden stampfen.
- Abwechselnd mit der linken und der rechten Hand sich zuwinken.

LeiterIn kann gezielt immer einer/einem neuen TeilnehmerIn zuwinken und sie/ihn so in das Gruppengeschehen holen.

Abschluss   Gemeinsames Singen des Schlussliedes (zum Beispiel »Die Vogelhochzeit«).

2.18 Wasser

Materialien

Gegenstand	Schüssel mit Wasser und ein Handtuch.
Lieder	Am Brunnen vor dem Tore (Es klappert die Mühle am rauschenden Bach, Jetzt fahr'n wir über'n See, Es steht eine Mühle im Schwarzwälder Tal, Wenn die Nordseewellen spülen an den Strand)
MC/CD	Musik für den Bewegungsteil, zum Beispiel: »Seemann, laß' das Träumen« (In einem kühlen Grunde, An der schönen blauen Donau, Die Moldau – auszugsweise)
Sonstiges	– Wasserball für den Bewegungsteil, eventuell auch ein großes blaues Tuch. – Schüssel mit Eiswürfel für die Wahrnehmungsübung. *Alternative:* Schüssel mit sehr warmem Wasser.

Stundenübersicht

Einstieg	Begrüßung, Durchreichen des Gegenstandes.
Hauptteil	Assoziieren, Biografisches Arbeiten, Singen, Assoziieren, Wahrnehmen, Sprichwörter und Redewendungen ergänzen, Biografisches Arbeiten, Texte hören: (A) Mein Wannenbad (Gedicht von Joachim Ringelnatz), (B) Gewitter (Gedicht von Erwin Moser), Musik hören und sich bewegen.
Abschluss	Gemeinsames Singen des Schlussliedes.

Gruppenstunde

Einstieg Begrüßung,
Durchgeben der Schale mit Wasser,
zum Fühlen ermuntern und Handtuch reichen.

Hauptteil

Assoziieren ☞ Wozu brauchen wir Wasser?
(Trinken, Waschen, Baden, Gießen, …)
☞ Eine Hausfrau benötigt viel Wasser. Wozu?
(Putzen, Wäsche waschen, Kochen, Spülen)

Biografisches ☞ Heute haben alle Wohnungen fließendes Wasser aus der Leitung. Früher musste
Arbeiten man das Wasser oft am Brunnen holen. Gab es bei Ihnen noch so einen Brunnen?

Singen Am Brunnen vor dem Tore

Assoziieren ☞ Wo findet man außer im Brunnen noch Wasser?
(Bach, See, Fluss, Meer …)
☞ In der Natur kommt Wasser als Regen vom Himmel herunter. Als was noch?
(Hagel, Nebel, Schnee, Eisregen …)

Wahrnehmen *Schüssel mit Eiswürfel die Runde machen lassen, ebenfalls ein Handtuch reichen.*
☞ Was ist in der Schüssel und wie fühlt es sich an?

*Alternative: Die Schüssel mit kaltem Wasser vom Anfang und eine weitere Schüssel mit
sehr warmem Wasser die Runde machen lassen. Den Unterschied wahrnehmen lassen.*

Sprichwörter und ☞ Es gibt ein Sprichwort »Wenn's dem Esel zu wohl wird, geht er aufs Eis tanzen.«
Redewendungen Zum Thema Wasser gibt es einige Sprichwörter und Redensarten.
ergänzen

*LeiterIn liest den Anfang eines Sprichwortes oder Redewendung vor und lässt die Teilneh-
merInnen ergänzen.*

Stille Wasser	tiefe Gründe.
Es wird überall	nur mit Wasser gekocht.
Blut ist dicker	als Wasser.
Das ist Wasser auf seine	Mühlen.
Einem nicht das Wasser	reichen können.
Erst, wenn der Brunnen trocken ist	schätzt man das Wasser.
Ihm steht das Wasser	bis zum Halse.
Sich gerade noch über	Wasser halten.
Stille Wasser	sind tief.
Trink Wasser wie das liebe Vieh, ...	und denk, es wär Krambambuli.
Wasser hat keine	Balken.
Wasserkrug macht alt und	klug.
Jemand ist mit allen	Wassern gewaschen.

Biografisches
Arbeiten

☞ Im Sommer geht man gerne ins Wasser, um sich abzukühlen.
Können Sie schwimmen?
☞ Wenn man früher, als das Wasser noch nicht aus der Leitung kam, baden wollte, war das ein etwas langwierige Prozedur.
Können Sie sich noch daran erinnern, wie Sie als Kind gebadet haben?

Text hören

LeiterIn kann auch nur die fettgedruckten Zeilen vorlesen, wenn das vollständige Gedicht als zu lange erscheint.

Text hören (A)

Joachim Ringelnatz: Mein Wannenbad

Es muss wieder mal sein
Also: Ich steige hinein
In circa zwei Kubikmeter See.
Bis übern Bauch tut es weh.
Das Hähnchen plätschert in schamlosen Ton,
Ich atme und schnupfe den Fichtenozon,
Beobachte, wie die Strömung läuft.
Wie dann clam, langsam mein Schwamm sich besäuft,
Und ich ersäufe, um allen Dürsten
Gerecht zu werden, verschiedene Bürsten.
Ich seife, schrubbe, ich spüle froh.
Ich suche auf Ausguck
Vergeblich nach einem ertrinkenden Floh,
Doch fort ist der Hausjuck.
Ich lehne mich weit und tief zurück.
Genieße schaukelndes Möwenglück.
Da taucht aus der blinkenden Fläche, wie
Eine Robinsoninsel, plötzlich ein Knie;
Dann – massig – mein Bauch – eines Walfisches Speck.
Und nun auf Wellen (nach meinem Belieben Herangezogen, davongetrieben)
Als Wogenschaum spielt mein eigenster Dreck
Und da auf dem Gipfel neptunischer Lust,
Klebt sich der Waschlappen mir an die Brust.
Brust, Wanne und Wände möchten zerspringen,
Denn ich beginne nun, dröhnen zu singen
Die allerschwersten Operkaliber,
Das Thermometer steigt über Fieber,
Das Feuer braust, und der Ofen glüht,
Aber ich bin schon so abgebrüht,
Das gelegentlich Explosionen –
Wenn's an mir vorbeigeht –
Erfreun, weil manchmal dabei was entzweigeht,
Was Leute betrifft, die unter mir wohnen.
Ich lasse an verschiedenen Stellen
Nach meinem Wunsch flinke Bläschen entquellen,
Erhebe mich mannhaft ins Duschengebraus.
Ich bück mich. Der Stöpsel rülpst sich hinaus,
Und während die Fluten sich gurgelnd verschlürfen,
Spannt mich das Bewußtsein wie himmlischer Zauber
Mich überall heute zeigen dürfen,
Denn ich bin sauber. –

Aus: Ringelnatz, J.: Sämtliche Gedichte. Diogenes, Zürich 1997.

Text hören (B) **Erwin Moser: Gewitter**

Der Himmel ist blau   Donner grollen
Der Himmel wird grau   Es plitschert und platscht
Wind fegt herbei   Es trommelt und klatscht
Vogelgeschrei   Es rauscht und klopft
Wolken fast schwarz   Es braust und tropft
Lauf, weiß Katz!   Eine Stunde lang
Blitz durch die Stille   Herrlich bang
Donnergebrülle   Dann Donner schon fern
Zwei Tropfen im Staub   Kaum noch zu hör'n
Dann Prasseln auf Laub   Regen ganz fein
Regenwand   Luft frisch und rein
Verschwommenes Land   Himmel noch grau
Blitze tollen   Himmel bald blau!

Aus: Gelberg, H-J. (Hrsg.): Überall und neben dir. Beltz, Weinheim und Basel 1986, S. 260.

Musik hören und sich bewegen *Blaues Tuch wird so gespannt, dass jede/jeder TeilnehmerIn einen Zipfel zu fassen bekommt.*
Der Ball wird darauf gelegt, eine passende Musik kann dazu gespielt werden, und die TeilnehmerInnen versuchen, den Ball auf »dem Wasser« mehr oder weniger tanzen zu lassen, bzw. »kleinere oder größere Wellen« zu erzeugen

Alternative ohne Tuch: Den Wasserball sich gegenseitig zuwerfen oder auf einem Tisch zurollen

---

Abschluss Gemeinsames Singen des Schlussliedes (zum Beispiel »Die Vogelhochzeit«).

3. Jahreszeitliche Themen

3.1 Fasching/Fastnacht/Karneval

Vorbereitung

Materialien

Gegenstände	Faschingshut, (Maske), Luftschlangen, auch Clownnasen, Luftballons, Schminkstifte.
Lieder	Jetzt kommen die lustigen Tage, Lustig ist das Zigeunerleben (Anneliese, ach Anneliese, Ich bin der Doktor Eisenbart, Freut euch des Lebens, Kornblumenblau)
MC/CD	Faschingsmusik, Stimmungsmusik, zum Beispiel »Rosamunde«.
Sonstiges	– Luftschlangen, Clownnasen, Luftballons, Schminkstifte etc. zur Dekoration und zum Verkleiden und Schminken, – Faschingskrapfen. *Auf DiabetikerInnen achten.*

Stundenübersicht

Einstieg	Begrüßung, Durchreichen des Gegenstandes, je nach Stimmung Verkleiden und Schminken.
Hauptteil	Biografisches Arbeiten, Singen, Assoziieren, Singen und Schunkeln *oder:* Musik hören und Schunkeln, Text hören: Im Karneval *(Gedicht von Bruno Horst Bull),* Assoziieren und Krapfen essen, Eventuell Demaskieren und Abschminken.
Abschluss	Gemeinsames Singen des Schlussliedes.

Gruppenstunde

Einstieg

Begrüßung,
Durchreichen des Gegenstandes,
danach je nach Lust und Laune beim Verkleiden und Schminken helfen.

Hauptteil

Biografisches
Arbeiten

☞ Verkleiden Sie sich gerne?

☞ Haben Sie sich oft an Fasching verkleidet?

☞ Können Sie sich noch an ein Kostüm erinnern? Wie sah es aus?

☞ Haben Sie schon einmal einen Maskenball besucht?

☞ Wie haben Sie Fasching gefeiert?

☞ An Fasching werden auch Büttenreden gehalten. Haben Sie auch schon eine Büttenrede gehalten?

Singen

Jetzt kommen die lustigen Tage

Assoziieren

☞ Welche anderen lustigen Lieder oder Faschingslieder kennen Sie?

☞ Zu welcher Musik tanzt man auf Faschingsbällen?
(Walzer, Polka, Polonaise …)

☞ In manchen Städten gibt es große Faschingsumzüge. Wissen Sie wo?
(Köln, Mainz)

Singen und schunkeln
oder:
Musik hören
und schunkeln

Lustig ist das Zigeunerleben

»Rosamunde«

Text hören

Bruno Horst Bull: Im Karneval, im Karneval

1. Im Karneval, im Karneval
   tut jeder, was er kann.
   Der Egon geht als Eskimo
   und Ernst als schwarzer Mann.

2. Der dicke Ritter Kunibert,
   der hat es gleich entdeckt,
   dass unter dem Kartoffelsack
   des Nachbars Hansel steckt.

3. Der Franzl geht als Zauberer,
   und Fritz als Polizist,
   doch niemand hat bisher erkannt,
   wer dort die Hexe ist.

4. Die Lehrerin ist Hans im Glück,
   Klein-Ruth spielt Lehrerin,
   und unsere Marktfrau Barbara
   ist Schönheitskönigin.

5. Im Karneval, im Karneval
   tut jeder, was er kann.
   Der Egon geht als Eskimo
   und Ernst als schwarzer Mann.

Aus: Evers, M. (Hrsg.): Geselligkeit mit Senioren. Beltz, Weinheim und Basel 1994, S. 156f.

Assoziieren und Krapfen essen	☞ Welche Faschingsbräuche kennen Sie? (Regionale Bräuche, Weiberfasching, Schlüsselübergabe am Rathaus etc.) ☞ Was gibt es an Fasching zu essen? (Anisbrezeln, Bonbons, Schokoküsse, am Aschermittwoch Hering, Krapfen) ☞ Wir haben Faschingskrapfen mitgebracht. Wie sagen Sie zu dem Gebäck? (Kreppel, Berliner) *Faschingskrapfen verteilen und zusammen verspeisen.*
Demaskieren und Abschminken	*Bei Bedarf.*
Abschluss	Gemeinsames Singen des Schlussliedes (zum Beispiel »Die Vogelhochzeit«).

3.2 Frühling

Vorbereitung

Materialien

Gegenstand Primel (Osterglocke).

Lieder Im Märzen der Bauer
(Alle Vögel sind schon da,
Kuckuck, Kuckuck ruft's aus dem Wald,
Winter ade,
Jetzt fängt das schöne Frühjahr an)

MC/CD Veronika, der Lenz ist da

Sonstiges – Eventuell ein Fläschchen mit Veilchenduft zum Riechen,
– Buchstabenwürfel oder Buchstabenkarten zum Blumenraten.

Stundenübersicht

Einstieg Begrüßung,
Durchreichen des Gegenstandes.

Hauptteil Assoziieren,
Singen,
Texte hören:
(A) Er ist's (Gedicht von Eduard Mörike),
(B) Schönste Zeit (Gedicht von Annette von Droste-Hülshoff),
Wahrnehmen: Riechen am Veilchenduft,
Blumenraten,
Sich bewegen und Singen,
Musik hören.

Abschluss Gemeinsames Singen des Schlussliedes.

Gruppenstunde

Einstieg

Begrüßung,
Durchreichen der Pflanze,
daran riechen lassen.

Hauptteil

Assoziieren

☞ In welcher Jahreszeit wächst die Pflanze?
☞ Was verändert sich (in der Natur), wenn es Frühling wird?
   (Tage werden länger, es wird wärmer, alles wird grün …)
☞ Was gibt es im Frühjahr im Feld und Garten zu tun?
   (Jäten, Säen, Beete anlegen …)
☞ Im Frühling kommen einige Vögel aus dem Süden zurück. Welche Zugvögel kennen Sie?
   (Star, Storch, Schwalbe)

Singen

Im Märzen der Bauer

Text hören (A)

Eduard Mörike: Er ist's

Frühling läßt sein blaues Band
wieder flattern durch die Lüfte;
süße, wohlbekannte Düfte
streifen ahnungsvoll das Land.
Veilchen träumen schon,
wollen balde kommen -
Horch, von fern ein leiser Harfenton!
Frühling, ja du bist's!
Dich hab ich vernommen.

Aus: Das Buch der Gedichte. Deutsche Lyrik von den Anfängen bis zur Gegenwart. Bertelsmann, Gütersloh 1963, S. 323

Text hören (B)

Annette von Droste-Hülshoff: Schönste Zeit

Der Frühling ist die schönste Zeit!
Was kann wohl schöner sein?
Da grünt und blüht es weit und breit
im goldnen Sonnenschein

Am Berghang schmilzt der letzte Schnee.
das Bächlein rauscht zu Tal:
es grünt die Saat, es blinkt der See
im Frühlingssonnenstrahl.

Die Lerchen singen überall,
die Amsel schlägt im Wald!
Nun kommt die liebe Nachtigall
und auch der Kuckuck bald.

Nun jauchzet alles weit und breit,
da stimmen froh wir ein:
Der Frühling ist die schönste Zeit!
Was kann wohl schöner sein?

Aus: Krolow, K. (Hrsg.): Deutsche Gedichte. Insel, Frankfurt/M. 1982.

Wahrnehmen und Riechen

☞ Im Frühling gibt es viel zu sehen und zu hören. Aber auch zu riechen. Den Duft einer Blume haben wir mitgebracht.
An dem Fläschchen mit Veilchenduft riechen lassen.
☞ Vielleicht errät jemand, welche Blume so riecht. – Es ist Veilchenduft.

Blumenraten

Der gewürfelte oder gezogene Buchstabe soll der Anfangsbuchstabe einer Blume sein. Die Gruppe versucht gemeinsam, einen oder mehrere passende Blumennamen zu finden.

Sich bewegen und Singen

☞ Im Frühling erwacht die Natur zu neuem Leben, alles fängt wieder an zu wachsen, die Sonne erwärmt uns und lockt uns ins Freie. Alles kommt in Bewegung. Ich möchte mich nun zusammen mit Ihnen nach einem Frühlingslied bewegen.

LeiterIn kann das Lied »Singt ein Vogel im Märzenwald« vorsingen und die Bewegungen vormachen. Anschließend das Lied von vorne beginnen und versuchen, die GruppenteilnehmerInnen zum Mitmachen – auch zum Mitsingen – zu motivieren. Co-LeiterIn gibt Hilfestellung.

Singt ein Vogel im Märzenwald

1. Strophe
Singt ein Vogel, singt ein Vogel, singt im Märzenwald
Arme schwingen wie Flügel.

Kommt der helle, der helle Frühling, kommt der Frühling bald.
Hände schweben vor dem Körper nach links und rechts.

Refrain: Komm doch, lieber Frühling, lieber Frühling, komm doch bald herbei,
Mit einer Hand zu sich hin winken.
Jag den Winter, jag den Winter, jag den Winter fort und mach das Leben frei.
Mit beiden Händen »den Winter« von sich wegschieben.

2. Strophe
Blüht ein Blümlein, blüht ein Blümlein, blüht im Märzenwald,
Hände leicht gekrümmt aneinanderlegen, Hände langsam öffnen, so wie eine Knospe, die sich öffnet.

Kommt der helle, der helle Frühling, kommt der Frühling bald.
Hände schweben vor dem Körper nach links und rechts.

Refrain: *wie erste Strophe*

3. Strophe
Scheint die Sonne, scheint die Sonne, scheint im Märzenwald.
Beide Arme noch oben, von oben nach unten einen Kreis beschreiben.

Kommt der helle, der helle Frühling, kommt der Frühling bald.
Hände schweben vor dem Körper nach rechts und links.

Refrain: *wie erste Strophe.*

Alternative: Zum Abschluss Das Lied »Die Vogelhochzeit« mit Bewegung und Gesang. Siehe Thema »Hochzeit«.

Musik hören   Veronika, der Lenz ist da

Abschluss   Gemeinsames Singen des Schlussliedes (zum Beispiel »Die Vogelhochzeit«).

3.3 Mai

Vorbereitung

Materialien

Gegenstand   Maiglöckchen (Flieder) und Schokoladenmaikäfer.

Lieder   Der Mai ist gekommen
(Alles neu, macht der Mai,
Grüß Gott, du schöner Maien,
Nun will der Lenz uns grüßen)

MC/CD   Wenn der weiße Flieder wieder blüht
(Es gibt keine Maikäfer mehr)

Walzermusik, zum Beispiel: »An der schönen blauen Donau« für den Bewegungsteil.

Sonstiges   – Eventuell Maibowle zum Probieren,   *Auf DiabetikerInnen achten!*
– Verschiedenfarbige, zusammengeknotete Tücher für den Bewegungsteil.

Stundenübersicht

Einstieg   Begrüßung,
Durchreichen des Gegenstandes.

Hauptteil   Biografisches Arbeiten,
Texte hören:
(A)   Der Mai (Gedicht von Ludwig Finkh),
(B)   Max und Moritz, 5. Streich (Wilhelm Busch),
Assoziieren,
Singen,
Assoziieren,
Wetterregeln hören,
Musik hören und sich bewegen,
Maibowle kosten,
Musik hören.

Abschluss   Gemeinsames Singen des Schlussliedes.

Gruppenstunde

Einstieg

Begrüßung,
Durchreichen der Pflanze und daran riechen lassen,
anschließend die Maikäfer den TeilnehmerInnen zeigen.

Hauptteil

Biografisches
Arbeiten

☞ Haben Sie als Kind Maikäfer gesammelt?
☞ Was haben Sie mit den Käfern gemacht? Haben Sie Streiche mit ihnen gespielt?

Text hören (A)

Ludwig Finkh: Der Mai

1. Es sei nun, wie es sei.
   Gott grüß dich, lieber Mai
   Es freut sich Weib und Mann
   Und wer noch lachen kann.
   Und wer am schönsten glüht,
   Dem läutet's im Gemüt.
   Es blüht, es blüht, es blüht.

2. Es blüht der Flieder weiß,
   Es summt der Bienen Fleiß,
   Es singt der Apfelbaum,
   Es schimmert Wiesenschaum,
   Es riecht wie Wohlverleih –
   O wär es ewig Mai!
   Es sei nun, wie es sei!

Aus: Götz, K. (Hrsg.): Das frohe Jahr. Stieglitz, Mühlacker 1982, S. 173.

Text hören (B)

Wilhelm Busch: Max und Moritz – 5. Streich

Wer in Dorfe oder Stadt
einen Onkel wohnen hat,
Der sei höflich und bescheiden;
Denn das mag der Onkel leiden.
Morgens sagt man: »Guten Morgen!
Haben Sie was zu besorgen?«
Bringt ihm, was er haben muss:
Zeitung, Pfeife, Fidibus.
Oder sollt es wo im Rücken
Drücken, beißen oder zwicken,
Gleich ist man mit Freudigkeit
Dienstbeflissen und bereit.
Oder sei's nach einer Prise,
Dass der Onkel heftig niese,
Ruft man: »Prosit!« allsogleich. –
»Danke!« – »Wohl bekomm es Euch!«
Oder kommt er spät nach Haus,
Zieht man ihm die Stiefel aus,
Holt Pantoffel, Schlafrock, Mütze,
Dass er nicht im Kalten sitze.
Kurz, man ist darauf bedacht,
Was dem Onkel Freude macht. –
Max und Moritz ihrerseits
Fanden darin keinen Reiz. –
Denkt euch nur, welch schlechten Witz
Machten Sie mit Onkel Fritz!

Singen	Der Mai ist gekommen

Assoziieren

☞ Es gibt viele Bräuche, die mit dem 1. Mai und der Nacht davor verbunden sind. Welche kennen Sie?
(Streiche in der Nacht zum 1. Mai, Walpurgisnacht, Maibaum stehlen, jemandem einen Misthaufen vor die Tür setzen, Maibaum aufstellen, Tanz in den Mai, Wanderung am 1. Mai)

☞ Welche Feste und Feiertage hat der Mai?
(Pfingsten, Christi Himmelfahrt, Fronleichnam, Muttertag, Vatertag)

☞ Wissen Sie, an welchem Feiertag Vatertag ist?
(Christi Himmelfahrt)

☞ Wie feiern die Männer diesen Tag?
(Ausflug) *Die Männer in der Gruppe direkt ansprechen.*

☞ Im Mai gibt es die letzten Nachtfröste; die Tage, an denen dies zu erwarten ist, werden Eisheilige genannt. Wann sind sie, wie heißen sie?
(12. Mai = Pankratius oder Pankraz, 13. Mai = Servatius oder Servaz, 14. Mai = Bonifatius oder Bonifaz)

Wetterregeln hören

Die Wetterregeln langsam lesen. Vielleicht kann der eine oder die andere TeilnehmerIn sie vervollständigen:

Mairegen auf die Saaten
dann regnet es Dukaten ✗

Kühle und Abendtau im Mai
bringen Wein und vieles Heu ✗

Maikäferjahr ein gutes Jahr ✗

Pfingstregen, Kornsegen ✗

Der Mai in der Mitte
hat für den Winter immer noch eine Hütte

Mai kühl und nass
Füllt dem Bauer Scheun und Fass ✗

Viel Gewitter im Mai
Singt der Bauer Juchhei ✗

Pankraz, Servaz und Bonifaz
machen gern der Kälte Platz

Ein Bienenschwarm im Mai
ist wert ein Fuder Heu,
aber ein Schwarm im Juni
der lohnet kaum der Müh

Mai ohne Regen, fehlt' s allerwegen ✗

Musik hören und sich bewegen	☞ Der Tanz in den Mai ist ein bekannter Brauch in vielen Gegenden. Dabei wird ein sogenannter »Maibaum« mit bunten Bändern geschmückt und die Menschen tanzen im Kreis. Ich möchte mit Ihnen ebenfalls einen »Tanz in den Mai« wagen! Dazu haben wir ein buntes Band mitgebracht …

Das aus bunten Tüchern zusammengeknotete Band wird im Kreis durchgegeben, jede/jeder TeilnehmerIn nimmt ein Stück davon in die Hand. LeiterIn stellt die Musik ein und macht die Bewegungen vor. Co-LeiterIn gibt Hilfestellung:

Den Tücherring nach rechts, dann nach links im Takt der Musik bewegen.
Den Ring gemeinsam hochheben und wieder senken.
Den Ring nach innen und wieder nach außen bewegen.

Die Bewegungen können mehrmals wiederholt werden, bis die Musik zu Ende ist beziehungsweise die TeilnehmerInnen zu ermüden beginnen.

Maibowle	☞ Im Mai wächst auch der Waldmeister. Mit ihm kann man ein Getränk ansetzen – die Maibowle. *Eventuell eine Kostprobe austeilen.*

Musik hören	Wenn der weiße Flieder wieder blüht

Abschluss	Gemeinsames Singen des Schlussliedes (zum Beispiel »Die Vogelhochzeit«).

3.4 Sommer

Vorbereitung

Materialien

Gegenstand   Sonnenblume (Sonnenhut, Sonnenbrille).

Lieder   Geh aus mein Herz und suche Freud
(Wohlauf, die Luft geht frisch und rein,
Herzlich tut mich erfreuen,
Trarira, der Sommer der ist da)

Sonstiges
- Brausegetränk zur Erfrischung.   *Auf DiabetikerInnen achten!*
- Frische Gartenkräuter (wie zum Beispiel Petersilie, Schnittlauch, Dill) oder Früchte nach Saison.

Stundenübersicht

Einstieg   Begrüßung,
Durchreichen des Gegenstandes.

Hauptteil   Assoziieren,
Biografisches Arbeiten,
Singen,
Biografisches Arbeiten,
Gartenkräuter erkennen und Assoziieren,
Texte hören:
(A)   Ein grünes Blatt (Gedicht von Theodor Storm),
(B)   Weißt du, wie der Sommer riecht? (Gedicht von Ilse Kleberger),
Brause trinken.

Abschluss   Gemeinsames Singen des Schlussliedes.

Gruppenstunde

Einstieg	Begrüßung, Durchreichen der Pflanze. Daran riechen lassen.

Hauptteil

Assoziieren	☞ Wann blühen die Sonnenblumen? (Juli, August) ☞ Manchmal sieht man ganze Felder von Sonnenblumen. Was kann man aus ihnen machen? (Vogelfutter, Sonnenblumenkerne, Sonnenblumenöl) ☞ Was reift sonst noch auf den Feldern? (Raps, Hafer, Roggen, Gerste, Weizen, Rüben, Kartoffeln, …) ☞ Welche Früchte werden im Sommer reif? (Kirschen, Johannisbeeren, Brombeeren, Himbeeren, Stachelbeeren, …) ☞ Welche Blumen blühen im Sommer? (Astern, Dahlien, Rosen …) ☞ Im Juni ist Sommersonnenwende. In manchen Gegenden wird am 23. Juni ein Johannifeuer angezündet und gefeiert. Kennen Sie diesen Brauch?
Biografisches Arbeiten	☞ Haben Sie früher Beeren gepflückt? ☞ Hatten Sie auch Beerensträucher im Garten? Welche? ☞ Was haben Sie mit den Beeren gemacht? (Eingekocht)
Singen	Geh aus mein Herz und suche Freud
Biografisches Arbeiten	☞ Was gefällt Ihnen am Sommer am besten? ☞ Was ist Ihre Lieblingsjahreszeit? ☞ Haben Sie im Sommer auch Ausflüge unternommen? ☞ Erinnern Sie sich, was Sie als Kind im Sommer unternahmen? ☞ Mussten Sie als Kind im Sommer im Garten und Feld mitarbeiten? ☞ Sind Sie im Sommer schwimmen gegangen? Wo?
Gartenkräuter erkennen und Assoziieren	*Gartenkräuter herumreichen und raten lassen, um welche Kräuter es sich handelt:* ☞ Welche Speise würzt man mit – Petersilie, Schnittlauch, Dill …?
Text hören (A)	**Theodor Storm: Ein grünes Blatt** Ein Blatt aus sommerlichen Tagen, Ich nahm es so beim Wandern mit, Damit es einst mir möge sagen, Wie laut die Nachtigall geschlagen, Wie grün der Wald, den ich durchschritt. *Aus: Das Buch der Gedichte. Deutsche Lyrik von den Anfängen bis zur Gegenwart. Bertelsmann, Gütersloh 1963, S. 290.*

Text hören (B) **Ilse Kleberger: Weißt du, wie der Sommer riecht?**

Weißt du, wie der Sommer riecht?
Nach Birnen und nach Nelken,
Nach Äpfeln und Vergißmeinicht,
die in der Sonne welken,
nach heißem Sand und kühlem See
und nassen Badehosen,
nach Wasserball und Sonnenkrem
nach Straßenstaub und Rosen.

Weißt du, wie der Sommer klingt?
Nach einer Flötenwiese,
die durch die Mittagsstille dringt,
ein Vogel zwitschert leise,
dumpf fällt ein Apfel in das Gras,
ein Wind rauscht in den Bäumen,
ein Kind lacht hell, dann schweigt es schnell
und möchte lieber träumen.

Weißt du, wie der Sommer schmeckt?
Nach gelben Aprikosen
und Walderdbeeren, halb versteckt
zwischen Gras und Moosen,
nach Himbeereis, Vanilleeis
Und Eis aus Schokolade,
nach Sauerklee vom Wiesenrand
Und Brauselimonade.

Aus: Evers, M. (Hrsg.): Geselligkeit mit Senioren. Beltz, Weinheim 1994, S. 102.

Brause trinken Brause verteilen zum Probieren.

Abschluss Gemeinsames Singen des Schlussliedes (zum Beispiel »Die Vogelhochzeit«).

3.5 Herbst

Vorbereitung

Materialien

Gegenstand	Schale mit: Kastanien, Eicheln, gelben Baumblättern, Walnüssen, Trauben, etc.
Lieder	Bunt sind schon die Wälder (Wir lieben die Stürme, Leer sind die Felder, Hejo, spann den Wagen an)
MC/CD	Für den Bewegungsteil: Schubert, Symphonie Nr. 5, Allegro (Schubert, Symphonie Nr. 5, Allegro vivace, Beethoven, Pastorale, Allegro)
Sonstiges	Großes Tuch für den Bewegungsteil.

Stundenübersicht

Einstieg	Begrüßung, Durchreichen des Gegenstandes.
Hauptteil	Assoziieren, Biografisches Arbeiten, Assoziieren, Texte hören: (A) September-Morgen (Gedicht von Eduard Mörike), (B) Herbstbild (Gedicht von Friedrich Hebbel), Assoziieren, Biografisches Arbeiten, Singen, Musik hören und sich bewegen.
Abschluss	Gemeinsames Singen des Schlussliedes.

Gruppenstunde

Einstieg	Begrüßung, Durchreichen des Körbchens, Erkunden der einzelnen Gegenstände.

Hauptteil

Assoziieren	☞ Für welche Jahreszeit sind diese Früchte und Blätter typisch? ☞ Welche Früchte werden im Herbst ebenfalls geerntet? (Äpfel, Birnen, Quitten, …) ☞ Was kann man im Herbst im Wald sammeln gehen? (Pilze) ☞ Im Herbst findet auch die Traubenlese statt. Was kann man alles von Trauben herstellen? (Wein, Most, Saft)
Biografisches Arbeiten	☞ Mögen Sie Wein? ☞ Mögen Sie lieber roten oder weißen Wein? ☞ Haben Sie schon einmal einen Ausflug in die Weinberge unternommen?
Assoziieren	☞ Der Herbst ist zugleich Ernte- und Einmachzeit. Welche Früchte kann man einkochen (einwecken, einrexen)? ☞ Aus welchen Früchten lässt sich eine Marmelade herstellen? ☞ Welches Obst kann getrocknet werden? (Pflaumen, Birnen….) ☞ Wie trocknet man Obst? (Obst schälen, in Scheiben schneiden, an einen Faden hängen zum Trocknen) ☞ Was kann über den Winter im Keller gelagert werden? ☞ Es gibt Tiere, die im Herbst Vorräte für den Winter sammeln. Kennen Sie ein Tier? (zum Beispiel das Eichhörnchen) ☞ Im Herbst verändert sich auch die Natur. Es wird zum Beispiel früher dunkel. Was ändert sich noch? (Es wird neblig, kälter …) ☞ Was passiert mit den Blättern an den Bäumen? (Sie werden gelb, fallen ab)
Text hören (A)	**Eduard Mörike: September-Morgen** Im Nebel ruhet noch die Welt, Noch träumen Wald und Wiesen; Bald siehst du, wenn der Schleier fällt, Den blauen Himmel unverstellt, Herbstkräftig die gedämpfte Welt In warmem Golde fließen *Aus: Das Buch der Gedichte. Deutsche Lyrik von den Anfängen bis zur Gegenwart. Bertelsmann, Gütersloh 1963, S. 329.*

Text hören (B)	**Friedrich Hebbel: Herbstbild**

Dies ist ein Herbsttag, wie ich keinen sah!
Die Luft ist still, als atmete man kaum,
Und dennoch fallen raschelnd, fern und nah,
Die schönsten Früchte ab von jedem Baum.

O stört sie nicht, die Feier der Natur!
Dies ist die Lese, die sie selber hält,
Denn heute löst sich von den Zweigen nur,
Was vor dem milden Strahl der Sonne fällt.

Aus: Das Buch der Gedichte. Deutsche Lyrik von den Anfängen bis zur Gegenwart. Bertelsmann, Gütersloh 1963, S. 309.

Assoziieren

☞ Welche Arbeit wurde im Herbst gemacht, was wurde für den Winter vorbereitet, zum Beispiel zum Heizen?
(Holz gesammelt, Holz gehackt)
☞ In der Landwirtschaft wurde auch Fleisch für den Winter vorbereitet. Die Schweine wurden geschlachtet. Wie konnte das Fleisch haltbar gemacht werden?
(Räuchern, Wurst wurde in Dosen eingemacht)
☞ Was lassen Kinder im Herbst in die Lüfte steigen?
(Drachen)

Biografisches Arbeiten

☞ Hatten Sie selbst als Kind einen Drachen?
☞ Haben Sie ihn selbst gebaut?
☞ Was braucht man alles, um einen Drachen zu bauen?

Singen

Bunt sind schon die Wälder

Musik hören und sich bewegen

LeiterIn schaltet die Musik ein. Jede/jeder TeilnehmerIn nimmt einen Zipfel von dem großen Tuch in die Hand. Die TeilnehmerInnen bewegen das Tuch im Rhythmus der Musik – mal ruhiger oder stürmischer. Es können einige Herbstblätter auf das Tuch gelegt werden, um den Herbstwind zu symbolisieren.
Co-LeiterIn gibt Hilfestellung.

Abschluss

Gemeinsames Singen des Schlussliedes (zum Beispiel »Die Vogelhochzeit«).

3.6 Winter

Vorbereitung

Materialien

Gegenstand	Fäustlinge (Wollmütze).
Lieder	Schneeflöckchen, Weißröckchen (Schneewalzer, Nach grüner Farb mein Herz verlangt, Winter ade)
MC/CD	Schlittenfahrt im Schnee für die Rhythmusbegleitung (Und in dem Schneegebirge).
Sonstiges	– Glas mit Glühweingewürz zum Riechen. – Punsch für alle TeilnehmerInnen. *Auf DiabetikerInnen achten!* – Rhythmusinstrumente zur Rhythmusbegleitung.

Stundenübersicht

Einstieg	Begrüßung, Durchreichen des Gegenstandes.
Hauptteil	Assoziieren, Biografisches Arbeiten, Texte hören: (A) Ein Lied, hinterm Ofen zu singen (Gedicht von Matthias Claudius), (B) Das Büblein auf dem Eise (Gedicht von Friedrich Güll), Assoziieren, Biografisches Arbeiten, Singen, Assoziieren, Gewürz riechen und Punsch probieren, Musik hören und Rhythmus begleiten.
Abschluss	Gemeinsames Singen des Schlussliedes.

Gruppenstunde

Einstieg

Begrüßung,
Durchgeben der Fäustlinge.

Hauptteil

Assoziieren

☞ Wann trägt man solche Fäustlinge?
☞ Welche Kleidungsstücke trägt man sonst noch im Winter, wenn es kalt ist?
☞ Wie kennen Sie das Wetter im Winter?
(kalt, Frost, Schnee)

Biografisches Arbeiten

☞ Welche Kopfbedeckung haben Sie im Winter getragen?
(Mütze, Hut, Tuch)
☞ Haben Sie auch solche Fäustlinge getragen oder andere Handschuhe?

Text hören (A)

Matthias Claudius: Ein Lied, hinterm Ofen zu singen

1. Der Winter ist ein rechter Mann
kernfest und auf die Dauer;
sein Fleisch fühlt sich wie Eisen an
und scheut nicht süß noch sauer.

2. Aus Blumen und aus Vogelsang
weiß er sich nichts zu machen,
haßt warmen Drang und warmen Klang
und alle warmen Sachen.

3. Doch wenn die Füchse bellen sehr
wenn's Holz im Ofen knistert
und um den Ofen Knecht und Herr
die Hände reibt und zittert;

4. wenn Stein und Bein vor Frost
zerbricht
und Teich und Seen krachen;
das klingt ihm gut, das haßt er nicht,
dann will er tot sich lachen.

5. Sein Schloß von Eis liegt ganz hinaus
beim Nordpol an dem Strande;
doch hat er auch ein Sommerhaus
im lieben Schweizerlande.

6. So ist er denn bald dort, bald hier,
gut Regiment zu führen.
Und wenn er durchzieht, stehen wir
und sehn ihn an und frieren.

Aus: Krolow, K. (Hrsg.): Deutsche Gedichte. Insel, Frankfurt/M. 1982, S. 187f.

Text hören (B)

Friedrich Güll: Das Büblein auf dem Eise

1. Gefroren hat es heuer
Noch gar kein festes Eis
Das Büblein steht am Weiher
Und spricht zu sich ganz leis`:
»Ich will es einmal wagen,
Das Eis muss doch nun tragen.
Wer weiß!«

2. Das Büblein stampft und hacket
Mit seinem Stiefelein.
Das Eis auf einmal knacket,
Und krach! Schon bricht's hinein.
Das Büblein platscht und krabbelt,
Als wie ein Krebs und zappelt
Mit Arm und Bein.

3. »O helft, ich muss versinken
  In lauter Eis und Schnee!
  O helft, ich muss ertrinken!
  Im tiefen, tiefen See!«
  Wär' nicht ein Mann gekommen,
  Der sich ein Herz genommen,
  O weh!

4. Der packt es bei dem Schopfe
  Und zieht es so heraus,
  Vom Fuße bis zum Kopfe
  Wie eine Wassermaus-
  Das Büblein hat getropfet,
  Der Vater hat's geklopfet
  Zu Haus.

Aus: Das Buch der Gedichte. Deutsche Lyrik von den Anfängen bis zur Gegenwart. Bertelsmann, Gütersloh 1963, S. 312.

Assoziieren	☞ Im Winter verändert sich die Natur. Was kann man alles beobachten? (Laubbäume werden kahl, Tage immer kürzer, …) ☞ Kennen Sie Tiere, die Winterschlaf halten? (Igel, Bär) ☞ Welche Feste feiern wir im Winter? (Advent, Nikolaus, Weihnachten, Sylvester)
Biografisches Arbeiten	☞ Was haben Sie als Kind gemacht, wenn Schnee lag? (Schlitten fahren, Skilaufen, Schneemann bauen) ☞ Was finden Sie schön am Winter?
Assoziieren	☞ Welches Obst wird im Backofen gebraten, so dass das ganze Haus danach duftet? (Bratapfel) ☞ Was trinkt man im Winter? (Glühwein, Grog, Tee)
Gewürz riechen und Punsch probieren	*Glas mit Glühweingewürz zum Riechen herumreichen und den Punsch zum Probieren einschenken.*
Musik hören und Rhythmus begleiten	Schlittenfahrt im Schnee – Eventuell mit Rhythmusinstrumenten begleiten. *Die verschiedenen Instrumente werden gezeigt und jede/jeder TeilnehmerIn kann sich ein Instrument aussuchen und ausprobieren und bei Bedarf umtauschen.* *LeiterIn schaltet die Musik ein und begleitet das gemeinsame Musizieren ebenfalls mit einem Instrument und dient auf diese Art und Weise als Vorbild. Co-LeiterIn gibt Hilfestellung.*
Abschluss	Gemeinsames Singen des Schlussliedes (zum Beispiel »Die Vogelhochzeit«).

4. Anhang

Fragen zur Biografie

Angaben zur Person
Name:
Mädchenname:
Geburtsdatum:
Geburtsort:
Familienstand:
Witwer/Witwe seit wann:
Kinder (Anzahl und Name):
Enkel (Anzahl und Name):
Name der Eltern:
Beruf der Eltern:
Anzahl der Geschwister:
Namen der Geschwister:

Bildung
Schulbildung:
Sonstige Ausbildungen:
Berufausübung:

Wohnverhältnisse
Letzter Wohnort:
Weitere Wohnorte:
Haus mit Garten/Mietwohnung:
Haus- oder Hoftiere:
Wohnverhältnisse im Elternhaus:

Einschneidende Erlebnisse
Krankheit:
Körperliche Einschränkungen:
Ängste:
Unfälle:
Verlusterfahrungen:
Vertreibung:
Sonstiges:

Was sind und waren die wichtigsten Bezugspersonen?
Name:
Verwandtschaftsgrad:
BetreuerIn:
Sonstige:

Fähigkeiten
Praktische:
Handwerkliche:
Hauswirtschaftliche:
Handarbeiten:
Musik:
Kunst:
Literatur:

Vorlieben und Gewohnheiten
Religiöse Gewohnheiten:
Essen:
Trinken:
Kleidung:
Farben:
Musik:
Frisur:
Körperpflege:
Schlafgewohnheiten:
Tagesablauf:
Hobbys:
Sport:
Reisen:
Soziale Kontakte (viele/wenige):
Sonstiges:

Was ist noch wichtig im Kontakt mit der/dem Betroffenen?

5. Literaturverzeichnis

Berghoff, I.: Förderpflege mit Dementen. Das Selbst-Erhaltungs-Therapiekonzept. Ullstein, Wiesbaden 1999.

Bernhard, M. (Hrsg.): Sag es in Versen. Gondrom, Bindlach 1995.

Buijsen, H.: Senile Demenz. Eine praktische Anleitung für den Umgang mit Alzheimer-Patienten. Beltz, Weinheim 1997.

Enzensberger, H.M. (Hrsg.): Allerleirauh. Viele schöne Kinderreime. Suhrkamp, Frankfurt a.M. 1972.

Evers, M.: Geselligkeit mit Senioren. Wahrnehmen, Gestalten, Bewegen. Beltz, Weinheim und Basel 1994.

Feil, N. (1992): Validation – Ein Weg zum Verständnis verwirrter alter Menschen. Ernst Renhardt, München ^{5}1999.

Gelberg, H.-J. (Hrsg.): Überall und neben dir. Gedichte für Kinder. Beltz, Weinheim und Basel 1986.

Das Buch der Gedichte. Zusammengestellt von Marianne Hochhuth. Bertelsmann, Gütersloh 1963.

Götz, K., (Hrsg.): Deutsche Gedichte. Insel, Frankfurt/M. 1982.

Knorr, E.-L. von (Hrsg.): Deutsche Volkslieder. 168 Volkslieder und Volkstümliche Lieder. Reclam, Stuttgart 1962.

Grümme, R.: Situation und Perspektive der Musiktherapie mit dementiell Erkrankten. Transfer, Regensburg 1997.

Hansen, W. (Hrsg.): Das große Hausbuch der Volkslieder. Mosaik, München 1978.

Krüss, J.: Der wohltemperierte Leierkasten. Bertelsmann, München 1961.

Mehring, M. (Hrsg.): Sprichwörter und Zitate von A bis Z. Bassermann, Niedernhausen/Ts. 1993.

Meine schönsten Märchen und Tiergeschichten. Lizenzausgabe für Manfred Pawlak Verlagsgesellschaft mgH. Herrsching. Ohne Jahresangabe. © by Verlag Carl Ueberreuter Wien.

Miesen, B.: »So blöd bin ich noch lange nicht!«: Thieme, Stuttgart 1996.

Müller, D.: Konzept zur Betreuung demenzkranker Menschen. Köln: Kuratorium Deutsche Altershilfe 1999.

Osborn, C./Schweitzer, P./Trilling, A.: Erinnern. Eine Anleitung zur Biografiearbeit mit alten Menschen. Lambertus, Freiburg 1997.

Oswald, W.D.: Bedingungen der Erhaltung und Förderung der Selbständigkeit im höheren Lebensalter (SIMA). Teil 2: Methoden der Bedingungsanalyse und Trainingsevalution. In: Zeitschrift für Gerontopsychologie und Psychiatrie 6/1993, S. 217-227.

Pöllath, J.K. (Hrsg.): Hausbuch der Feste und Bräuche. Unter Mitarbeit von G. und N. Weidinger. Südwest, Müchen 1993.

Radel, J. (Hrsg.): Mein erstes Vorlesebuch vom Herbst. Otto Maier, Ravensburg: 1987.

Ringelnatz, J.: Gedichte und Prosa. Diogenes, Zürich 1994.

Ruhe, H.G.: Methoden der Biografiearbeit. Lebensgeschichte und Lebensbilanz in Therapie, Altlehnhilfe und Erwachsenenbildung. Weinheim: Beltz 1998

Schaade, G.: Ergotherapie bei Demenzerkrankungen. Ein Förderprogramm. Springer, Berlin, Heidelberg, New York 1998.

Schnaufer-Kraak, M.: Integrative Musiktherapie mit Demenzkranken. Manuskript. Stuttgart o.J.

Schnaufer-Kraak, M.: Integrative Musiktherapie mit pflegebedürftigen alten Menschen. Manuskript. Stuttgart o.J.

Schnaufer-Kraak, M.: Methodisch-didaktische Hinweise zur Gruppenleitung. Manuskript Stuttgart o.J.

Strich, Ch. (Hrsg.): Wer reitet so spät durch Nacht und Wind. Diogenes, Zürich 1981.

Trilling, A./Bruce, E./Hodgson, S./Schweitzer, P.: Erinnerungen pflegen. Unterstützung für Pflegende und Menschen mit Demenz. Vincentz, Hannover 2001.

Wilhelm Busch – Humoristischer Hausschatz. Buch und Zeit o.J.

Liederbücher in Großdruck

Deutscher Paritätischer Wohlfahrtsverband e.V. Frankfurt a.M. (Hrsg.): Wir singen. Walhalla und Praetoria, Regensburg o. J.

Deutscher Paritätischer Wohlfahrtsverband e.V. Frankfurt a.M. (Hrsg.): Gemeinsam singen. Wallhalla und Praetoria, Regensburg 1994.

Schöps, A./Strube, F.: Kein schöner Land. Strube, München 1994.

Aktivierung mit Gedächtnistraining

Elisabeth Tanklage

Gedächtnistraining für Seniorengruppen

24 unterhaltsame Stundenfolgen für Gruppenleitungen.
Edition Sozial. 2001.
174 Seiten im Großformat. 16 Kopiervorlagen.
Broschiert.
ISBN 3-407-55844-9

24 unterhaltsame Stunden mit Senioren: Übungen
zum Gedächtnistraining und Kurzgeschichten zu
24 Themen aus allen Bereichen des Lebens, wie zum
Beispiel Gesundheit, Wetter, Tiere, Kleidung, Reisen,
Fernsehen, Schlager oder Märchen und Karneval.
Eine Arbeitserleichterung mit Zeitersparnis für
die Altenhilfe und Altenpflege.

Die klare Gliederung und die didaktische Aufbereitung
dieses Bandes ermöglichen allen Gruppenleitern eine
einfache und praktische Handhabung. Die Themen-
komplexe sind flexibel einsetzbar, so können sie z.B.
leicht in Gesprächsnachmittage und Spielrunden
umgewandelt oder in Auszügen für gesellige Stunden
genutzt werden. Ziel ist Spaß und Geselligkeit, um
die Senior/innen zu einer aktiveren Lebensgestaltung
anzuregen.

»Mit diesem Buch liegt Gruppenleiterinnen und
-leitern ein fertig ausgearbeitetes Programm vor, das
sich ohne aufwändige Vorbereitungen umsetzen lässt.
In den insgesamt 24 Gestaltungsvorschlägen steht
dabei nicht der Trainingsaspekt oder gar Leistungsdruck im Vordergrund, sondern gemeinsame Aktivität,
Spaß und Kontakt. Übergeordnete Themen von
allgemeinem Interesse bestimmen den Inhalt der
einzelnen Stunden, die jeweils nach einer gleich
bleibenden Struktur ablaufen. Nachdem eine Erzählung
oder ein Zeitungsbericht auf das Thema eingestimmt
hat, folgen daran anknüpfende Gedächtnisübungen
mit unterschiedlichem Schwierigkeitsgrad, etwa Wort-
spiele und Rätsel. Alle dafür notwendigen Kopiervorlagen sind im Anhang enthalten. Neben diesen
Übungen ist auch der so genannte ›Erzählteil‹ wichtiges
Element jeder Stunde, in dem sich die Teilnehmer
anhand von Fragen und Anregungen über ihre eigenen
Erfahrungen und Erinnerungen zum Themenbereich
austauschen und miteinander ins Gespräch kommen
können. Dadurch wird immer wieder der Bezug zu
den Lebensumständen und dem Wissenshintergrund
der Teilnehmer hergestellt.« *Psychologie Heute*

Aus dem Inhalt:
- Umwelt und Umfeld:
  Deutschland – Wetter – Gesundheit – Blumen –
  Tiere – Fortbewegungsmittel
- Leben und Wohnen:
  Namen – Farben – Kleidung – Haushalt –
  Kochen – Getränke
- Arbeit und Freizeit:
  Berufe – Reisen – Fernsehen – Sport – Schlager –
  Volkslied – Operette
- Sitten und Bräuche:
  Brauchtum – Jahreswechsel – Karneval –
  Erntedank – Jahrmarkt – Märchen

Infos und Ladenpreis: www.beltz.de

BELTZ

F0090

Beltz Verlag · Postfach 100154 · 69441 Weinheim

Fit im Alter

Margit Evers
Geselligkeit mit Senioren
Wahrnehmen – Gestalten –
Bewegen.
Herausgegeben von Peter Thiesen.
192 Seiten. Zahlr. Abbildungen.
2., neu ausgestattete, aktualisierte
Ausgabe 2003. Broschiert.
ISBN 3-407-55994-1

Geistige und körperliche Fitness
erhöhen die Lebensqualität und
ermöglichen ein selbständiges Leben. Diese mit zunehmenden Alter
zu erhalten ist wohl der Wunsch
aller, die sich mit dem Älterwerden
auseinandersetzen. Und was bietet
sich mehr an, als die geeigneten
Maßnahmen mit Freunden oder
Bekannten bzw. mit den Anwoh-
nern eines Heimes durchzuführen?

Hier finden Sie 135 Angebote für
SeniorInnen, die Bekanntes und
Vertrautes beinhalten und den ganzen Menschen fordern, aber nicht
überfordern. Sie bieten konkrete
Anregungen zum Wahrnehmungs-
training, zum schöpferischen Gestalten und zur Gymnastik. Die
Spiele, Übungen und Bastelarbeiten
sind so strukturiert, dass sich die
TeilnehmerInnen ihren persön-

lichen Bedürfnissen und Kräften
entsprechend einbringen können.
Alles ist einfach und anschaulich
dargestellt.

Die 2. Auflage wurde mit Illustra-
tionen von Barbara Hömberg neu
ausgestattet.

Ursula Stöhr
Das Seniorenspielbuch
250 praktische Anregungen für
die Gruppenarbeit.
Mit einem Vorwort von
Hans-Wolfgang Nickel.
5. Auflage 2002.
224 Seiten. 30 Abbildungen.
Broschiert.
ISBN 3-407-55865-1

Spielen ist Ausdruck von Lebendigkeit. Es macht lebendig und
erhält lebendig. Das Spiel befreit
von Sorgen und Stress und öffnet
unsere geistigen und körperlichen
Grenzen. Spielen läßt Krankheiten
und Einschränkungen vergessen,
schafft lebendige Vitalität und
erweitert die Lebensqualität.
Der erste Teil des Buches informiert über die Lebenssituationen
älterer Menschen, über ihre Fähigkeiten und Einschränkungen, ihre
Wünsche und Bedürfnisse, ihre
Entwicklungsmöglichkeiten und
kreativen Fähigkeiten durch Spielen. Der Hauptteil enthält Kon-
takt-, Bewegungs- und Konzentra-
tionsspiele sowie Gedächtnis-, Ge-
schicklichkeits- und Rollenspiele.

»Sehr anschaulich und sehr aus-
führlich beschreibt Stöhr die notwendigen Vorüberlegungen und
die strategische Planung einer

Spielsequenz oder eines Spielnach-
mittags ... Das Seniorenspielbuch
ist ein brauchbarer und anregender
Ratgeber.«
(Altenheim)

»Das Buch verdeutlicht sowohl von
den Spielbeschreibungen als auch
durch die Bilder eine Lebendigkeit,
die eben auch Ausdruck von Spiel
sein soll.«
*(Motorik – Zeitschrift für Moto-
pädagogik und Mototherapie)*

»Man merkt es dem Buch an, dass
es in jahrelanger Spielpraxis zu-
sammengetragen und in Senioren-
spielgruppen unterschiedlicher Grö-
ße und in Fortbildungsseminaren
mit Teilnehmern unterschiedlichen
Alters erprobt wurde.«
(fachdienst spiel 2/95)

Infos und Ladenpreise:
www.beltz.de

BELTZ

Beltz Verlag · Postfach 10 01 54 · 69441 Weinheim